ŒUVRES DE MARCEL PAGNOL

MARCEL PAGNOL

DE L'ACADÉMIE FRANÇAISE

Fanny

PIÈCE EN TROIS ACTES ET QUATRE TABLEAUX

FASQUELLE

A ORANE DEMAZIS

JE DÉDIE CETTE PIÈCE

« Elle a été Fanny elle-même, tellement Fanny que nous ne pourrions pas l'imaginer différente. L'émotion profonde avec laquelle elle a lancé, au dernier tableau, le couplet sur la naissance de l'enfant, a magnifié sa création. Si l'ombre de Réjane erre encore sur le proscenium de ce théâtre, elle a dû frémir de joie. »

René FAUCHOIS.

PERSONNAGES

Mmes

FANNY	ORANE DEMAZIS
HONORINE	CHABERT
CLAUDINE	Milly MATHIS
LA COMMISE	Thérésa RENOUARD

MM.

CÉSAR	HARRY-BAUR
PANISSE	CHARPIN
MARIUS	BERVAL
ESCARTEFIGUE	DULLAC
M. BRUN	VATTIER
LE CHAUFFEUR	MAUPI
LE FACTEUR	E. VILBERT
LE DOCTEUR	E. DELMONT
MARIUS TARTARIN	MERET
RICHARD	H. HENRIOT
LE CHINOIS	Marc DERRIS
L'ITALIEN	VANOLLI

Fanny a été représenté pour la première fois, à Paris,
le 5 décembre 1931,
sur la scène du " Théâtre de Paris".

ACTE PREMIER

PREMIER TABLEAU

Le décor représente le bar de César.

Il est deux heures de l'après-midi, au mois d'août. Au-dehors, un soleil écrasant sur le port.

A gauche, au premier plan, M. Brun, Panisse et Escarte-figue sont assis. M. Brun boit un café-crème. Panisse et Escartefigue boivent du vin blanc qu'ils versent dans un enton-noir rempli de glace.

Au comptoir, le chauffeur d'Escartefigue, déguisé en garçon de café, rince des verres.

César, debout, l'air sombre, les cheveux plus blancs qu'autrefois, se promène, sort et rentre. Il porte à la main une petite raquette en toile métallique, pour tuer les mouches. De temps à autre, il frappe brusquement sur le comptoir ou sur une table.

SCÈNE PREMIÈRE

CÉSAR, M. BRUN, PANISSE, ESCARTEFIGUE

PANISSE

Moi, monsieur Brun, si j'étais Napoléon — pas Napoléon Barbichette, je veux dire le vrai Napoléon, — si j'étais Napoléon...

CÉSAR, brusquement.

Il est mort.

PANISSE, interloqué.

Oui, je sais. Mais je dis simplement : « Moi, si j'étais Napoléon... »

CÉSAR, avec force.

Il est mort. On te dit qu'il est mort !...

M. BRUN, aimable.

(A César.)   (A Panisse.)

Oui, nous savons qu'il est mort. Mais vous voulez dire : « Si j'avais été Napoléon pendant que Napoléon vivait encore... »

PANISSE, ravi.

C'est ça; si j'avais été Napoléon pendant que Napoléon vivait encore... Eh bien ! moi, j'aurais...

Il cherche ce qu'il allait dire.

CÉSAR, précis.

Qu'est-ce que tu aurais ?...

PANISSE

J'aurais... j'aurais... (découragé.) Ça y est... Tu m'as fait oublier ce que j'allais dire...

M. BRUN

Quel dommage !

CÉSAR, en sortant.

Gâteux ! Simplement gâteux !

ESCARTEFIGUE, à voix basse.

Ça y est ! Tu as ton paquet. Ça recommence ! Depuis un mois que son fils est parti, on ne sait plus par quel bout le prendre ! Il n'est plus possible de venir dans ce bar, sans se faire... Atention, le voilà !

César entre, et fait lentement le tour de la salle.

M. BRUN, à haute voix.

Alors, capitaine, vous ne travaillez pas aujourd'hui ?

ESCARTEFIGUE

Non, je vais au concours de boules du *Petit Provençal*.

PANISSE

Nous sommes du jury. Nous attendons le président, M. Gadagne, qui va venir nous chercher.

CÉSAR, avec pitié.

Du jury ! ! On aura tout vu !

M. BRUN, admiratif.

Du jury ! Fichtre !

ESCARTEFIGUE, modeste.

Eh ! oui, fichtre !

M. BRUN

Mais votre ferry-boat ? Est-ce que vous ne devez pas faire vingt-quatre traversées par jour ?

ESCARTEFIGUE

Eh ! oui, je dois les faire puisque je suis payé pour ça. Mais chaque année, au moment du concours, mon bateau a besoin de passer au radoub, pour rafraîchir la peinture sous-marine. Et ça dure quatre jours.

M. BRUN

Exactement comme le concours !

ESCARTEFIGUE, clin d'œil.

Étrange coïncidence ! Exactement comme le concours. Et voilà pourquoi, pendant ce temps, mon chauffeur fait des extras !

Il montre le chauffeur au comptoir.

M. BRUN, au chauffeur.

Tiens, petit, donne-moi encore un croissant.

LE CHAUFFEUR

Voilà, monsieur Brun.

César s'approche.

CÉSAR

Félix, tu as l'heure juste ?

ESCARTEFIGUE

Mais je crois que ta pendule va bien. Il est huit heures précises.

CÉSAR

Si ma pendule marchait bien, je ne te demanderais pas l'heure qu'il est. Et si ça te fait peine de tirer ta montre, merci quand même !

ESCARTEFIGUE, serviable.

Oh ! mais je la tire, la montre ! Je la tire ! Eh bien, il est huit heures précises, exactement comme ta pendule !

CÉSAR, sèchement.

Merci !

ESCARTEFIGUE

D'ailleurs, ce n'est pas étonnant : c'est sur ta pendule que je l'ai réglée ce matin.

CÉSAR, les bras au ciel.

O bougre d'emplâtre ! Mais où vas-tu les chercher, dis, jobastre !

ESCARTEFIGUE

Jobastre ? Mais je ne vois pas pourquoi tu m'insultes quand je me donne un mal de chien pour te faire plaisir.

M. BRUN, il tire sa montre.

Tenez, César. Il est exactement huit heures quatre à l'horloge des docks.

CÉSAR

Merci, monsieur Brun. Ça, c'est un renseignement. Huit heures quatre. J'aurais dû savoir qu'il ne faut rien demander d'intelligent à M. Escartefigue, amiral de banquettes de café, commodore de la moleskine !

Il sort.

SCÈNE II

LES MÊMES, moins CÉSAR

PANISSE, avec bonne humeur.

Eh bien, dis donc, tu l'as toi aussi, ton paquet !

ESCARTEFIGUE

Mais qu'est-ce qu'il a besoin de savoir l'heure astro-
nomique ? Est-ce qu'il veut faire le point ?

PANISSE

Tu ne vois pas qu'il attend le facteur ?

M. BRUN

Comme tous les matins !

LE CHAUFFEUR, en grand secret.

Et comme tous les soirs. Il l'attend tout le temps.

ESCARTEFIGUE, éclairé.

C'est donc ça ! Son fils lui envoie une lettre tous les
jours ! Et alors, peuchère, il se languit de l'avoir !

PANISSE

Moi, je crois plutôt qu'il se languit d'avoir la
première et que son fils ne lui a pas encore écrit.

LE CHAUFFEUR, confidentiel.

Tout juste ! Et chaque fois que le facteur passe là-
devant sans s'arrêter, c'est une scène de tragédie. Oui,
monsieur Brun, de la tragédie. Il devient pâle comme la
mort. Et quand il n'y a personne dans le bar, il vient
regarder ce chapeau.

Il montre un chapeau de paille accroché dans un coin.

PANISSE

Oui, le chapeau de Marius.

LE CHAUFFEUR

Il est resté là depuis le départ. Il lui parle, il lui dit des
choses que ça vous met les larmes aux yeux. C'est vrai
que moi je suis beaucoup sensible...

PANISSE

Peuchère ! Et la petite Fanny, c'est la même chose !

LE CHAUFFEUR

Oh ! elle, elle va sûrement mourir d'estransi. Té, ils
vont mourir tous les deux !

ESCARTEFIGUE, indigné.

C'est curieux tout de même que son fils ne lui ait pas
encore écrit.

M. BRUN

Mais non, capitaine, c'est tout à fait naturel. Il est
parti sur un voilier, et leur première escale, c'est

Port-Saïd. Il est donc logique de penser que sa première lettre...

LE CHAUFFEUR

Attention, le voilà...

> César fait le tour du bar, dans un grand silence, et sort de nouveau.

M. BRUN

Cet homme-là va certainement mourir de chagrin.

PANISSE

Écoutez, monsieur Brun, il ne mourra pas, non. Mais si cette lettre tarde encore quinze jours, il deviendra fada. Tu verras ce que je te dis.

ESCARTEFIGUE, tristement.

Oh ! je le crois ! il va de plus pire en plus pire. (Scientifique.) Moi, j'en ai connu un comme ça, que son cerveau se ramollissait... Ça se fondait tout, là-dedans... Et à la fin, quand il remuait la tête, pour dire « non », eh bien, on entendait « flic-flac... flic-flac... ». Ça clapotait.

M. BRUN, sceptique.

Voilà un cas extrêmement curieux.

PANISSE, sceptique.

Oui, c'est bien curieux.

ESCARTEFIGUE

Tu ne me crois pas ?

PANISSE, grave.

Oh ! que si, je te crois ! Parce que moi j'en ai connu un encore plus bizarre ; au lieu de se ramollir, comme le tien, eh bien le mien, son cerveau se desséchait.

ESCARTEFIGUE, stupéfait.

Par exemple !

PANISSE, lugubre.

Ce pauvre cerveau, petit à petit, il est devenu comme un pois chiche. Et alors, peuchère, quand il marchait dans la rue, ce petit cerveau lui sautait dans la grande tête — et ça sonnait comme un grelot de bicyclette.

ESCARTEFIGUE, horrifié.

Drelin ! Drelin !

PANISSE

Surtout quand il marchait sur des pavés !...

> Escartefigue reste béant de stupeur et d'horreur. Mais M. Brun éclate de rire. Alors Escartefigue, un peu vexé, se tourne vers Panisse, qui rit lui aussi.

ESCARTEFIGUE

Tais-toi, va, fada. Tu vois bien que c'est incroyable, ton histoire !

PANISSE

Elle est certainement aussi vraie que la tienne ?

ESCARTEFIGUE, il se lève, digne.

Honoré, si tu es un homme, dis-moi tout de suite, et devant tout le monde, que tu me prends pour un menteur.

PANISSE, calme et souriant.

Mais naturellement, que je te prends pour un menteur

ESCARTEFIGUE

Bien. Dans ce cas, c'est tout différent.

Il se rassied, et allume un ninas. César, sur la porte, tourne le dos au public.

SCÈNE III

LES MÊMES, CÉSAR, HONORINE

CÉSAR

Bonjour, Norine.

HONORINE, elle entre, renfrognée, l'œil mauvais.

Bonjour.

CÉSAR

Vous venez commencer la vente ?

HONORINE, sèchement.

Comme vous voyez.

PANISSE

Alors, la petite est encore fatiguée ?

HONORINE

Ah ! ne m'en parlez pas, vé ! Elle a encore une mine de papier mâché. Alors, je suis venue faire l'ouverture, et elle viendra me remplacer dans une heure. (Au chauffeur, qui lui fait passer ses paniers). Merci, petit.

ESCARTEFIGUE

Fanny est malade ?

CÉSAR

Oui. Elle a pris un froid sur l'estomac.

PANISSE

Tu n'as donc pas remarqué qu'elle n'est pas **venue** hier, et que c'est Norine qui a vendu ?

ESCARTEFIGUE

Non, tiens. J'avais pas remarqué.

M. BRUN

J'espère que ce n'est pas grave ?

CÉSAR

Mais non, mais non. C'est un peu de grippe... Une attaque de grippe...

HONORINE

Oui, une attaque de grippe. Et puis, il faut dire aussi que, à cause de certain petit voyou de navigateur, la petite a le cœur brisé, — elle a le cœur brisé, la petite. Elle a le cœur brisé, elle en mourra. — Et voilà le père de l'assassin ! Assassin !

> César hausse les épaules tristement et sort. En scène, tandis qu'Honorine prépare les paniers de coquillages qu'elle va mettre à l'éventaire, Panisse, Escartefigue et M. Brun l'entourent pour la consoler à voix basse.

PANISSE

Mais non, Norine. Elle n'en mourra pas... Le temps arrange tout, vous savez...

ESCARTEFIGUE

Et puis, il ne faut pas en vouloir à César, Norine. Il est encore plus malade que la petite. Nous le disions tout à l'heure encore : nous le voyons déjà parti du ciboulot !

HONORINE, violente.

Oh ! ça, c'est sûr, et ça sera bien fait.

M. BRUN

Mais non, mais non. Il ne faut rien dramatiser. Fanny est charmante, elle ne manque pas de prétendants... Elle finira par se consoler...

HONORINE

Mais elle ne mange plus rien ; elle est pâle comme une bougie.

PANISSE

Et vaï, la jeunesse triomphe de tout !

M. BRUN

Allez, on ne meurt pas d'amour, Norine. Quelquefois, on meurt de l'amour de l'autre, quand il achète un revolver — mais quand on ne voit pas les gens, on les oublie...

HONORINE, en sortant, ses paniers dans les bras.

On ne les oublie pas toujours, monsieur Brun. J'en ai connu au moins deux qui sont mortes d'amour. Par pudeur, pardi, elles ont fait semblant de mourir de maladie, mais c'était d'amour ! (Elle sort de la terrasse, on la voit regarder vers la rue, et dire :) Déjà ?

SCÈNE IV

LES MÊMES, FANNY

FANNY, paraît.

Je m'ennuyais à la maison. Bonjour, César.

CÉSAR

Bonjour, petite... Tu te sens mieux ?

FANNY

Mais oui, je me sens très bien... Bonjour, messieurs !

HONORINE

Pourquoi tu n'es pas restée couchée une demi-heure de plus ?

FANNY

Mais parce que je me sens très bien, maman. C'est toi qui me crois malade, mais je n'ai rien du tout !

PANISSE

A la bonne heure !

HONORINE, grommelant.

Rien du tout ! rien du tout !

M. BRUN

Votre mère vous croyait déjà morte !

FANNY

Oh ! vous savez, maman exagère toujours ; les huîtres sont arrivées ?

HONORINE

Oui. Tu as ici les deux paniers de Bordeaux, et une caisse de moules de Toulon.

FANNY

Bon.

HONORINE

Alors, je peux aller à la Poissonnerie ?

FANNY

Mais bien sûr, voyons !

PANISSE

Nous vous la gardons, Norine !

HONORINE

Bon. Alors, j'y vais... Mais si la fièvre te reprend, tu fermes la baraque et tu rentres te coucher ?

FANNY

Oui, si la fièvre me reprend. Mais je te dis que c'est fini !

HONORINE

Fini, fini... Enfin, ça va bien. (Elle prend sa balance et soit. Elle revient.) Tu as bu le café au lait que je t'avais mis sur la table de nuit ?

FANNY

Mais oui !

HONORINE

Bon, bon... Alors, je peux y aller ?

ESCARTEFIGUE

Mais oui, vous pouvez y aller. Vous ne l'abandonnez pas en pleine mer !

HONORINE

Bon. Alors, j'y vais. J'y vais. A tout à l'heure, petite !

César s'approche de Fanny et caresse ses cheveux.

SCÈNE V

LES MÊMES, moins HONORINE

CÉSAR

C'est vrai que tu te sens mieux ?

FANNY

Mais oui, c'est vrai. Vous ne le voyez pas ?

CÉSAR

Oui, tu es peut-être mieux, mais tu n'es pas encore bien brillante ! Ah non !... Ah non !

FANNY

Et vous, César, ça va bien ?

CÉSAR, avec force.

Ça va très bien. Ça va le mieux du monde. J'ai dormi comme un prince. Comme un prince !

PANISSE, bas.

Peuchère ! Il en a tout l'air.

A ce moment, un gros homme s'approche de l'éventaire de Fanny. Il est vêtu du costume classique de Marius : guêtres de cuir, casque colonial. Il est ventru et porte la barbe à deux pointes. Il parle avec un extraordinaire accent de Marseille.

SCÈNE VI

LES MÊMES, LE GROS HOMME

LE GROS HOMME

Hé biengue, mademoiselle Fanylle, est-ce que votre mère n'est pas ici ?

FANNY

Non, monsieur. Elle vient de partir à la poissonnerie.

LE GROS HOMME

A la poissonnerille ? O bagasse tron de l'air ! Tron de l'air de bagasse ! Vous seriez bien aimable de lui dire qu'elle n'oublille pas ma bouillabaisse de chaque jour, ni mes coquillages, bagasse ! Moi, c'est mon régime : le matin, des coquillages. A midi, la bouillabaisse. Le soir, l'aïoli. N'oubliez pas, mademoiselle Fanylle !

FANNY

Je n'oublierai pas de le lui dire. Mais à qui faut-il l'envoyer ?

LE GROS HOMME

A moi-même : M. Mariusse, 6, rue Cannebière, chez M. Olive.

FANNY

Bon.

LE GROS HOMME

Et n'oubliez pas, ô bagasse ! Tron de l'air de mille bagasse ! O bagasse !

Il sort. Tous se regardent, ahuris.

SCÈNE VII

LES MÊMES, moins LE GROS HOMME

ESCARTEFIGUE

Mais qu'est-ce que c'est que ce fada ?

CÉSAR

C'est un Parisien, peuchère. Je crois qu'il veut se présenter aux élections.

ESCARTEFIGUE

Mais pourquoi il dit ce mot extraordinaire : bagasse ?

FANNY

Il le répète tout le temps.

PANISSE

Tu sais ce que ça veut dire, toi ?

FANNY

Je ne sais pas, moi, je suis jamais allée à Paris. Nous aussi nous avons des mots qu'un Parisien ne comprendrait pas.

CÉSAR

Bagasse ? Pour moi, c'est le seul mot d'anglais qu'il

connaisse, alors, il le dit tout le temps pour étonner le monde.

M. BRUN

Eh bien, c'est bizarre, mais je le croyais Marseillais.

CÉSAR

Marseillais ?

PANISSE

Oh ! dites, vous êtes pas fada ?

M. BRUN

Dans le monde entier, mon cher Panisse, tout le monde croit que les Marseillais ont le casque et la barbe à deux pointes, et qu'ils se nourrissent de bouillabaisse et d'aïoli, en disant « bagasse » toute la journée.

CÉSAR, brusquement.

Eh bien ! monsieur Brun, à Marseille, on ne dit jamais bagasse, on ne porte pas la barbe à deux pointes, on ne mange pas très souvent d'aïoli et on laisse les casques pour les explorateurs — et on fait le tunnel du Rove, et on construit vingt kilomètres de quai, pour nourrir toute l'Europe avec la force de l'Afrique. Et en plus, monsieur Brun, en plus, on emmerde tout l'univers. L'univers tout entier, monsieur Brun. De haut en bas, de long en large, à pied, à cheval, en voiture, en bateau et vice versa. Salutations. Vous avez bien le bonjour, Gnafron.

Il sort.

SCÈNE VIII

LES MÊMES, moins CÉSAR

M. BRUN

C'est pour moi, tout l'univers ?

PANISSE

Ce n'est pas spécialement pour vous — mais tout de même, vous en faites partie.

M. BRUN

Et Gnafron, c'est dur.

ESCARTEFIGUE

On ne peut plus venir dans ce café, sans se faire insulter.

PANISSE

Qué, insulter... Tu vois bien que c'est un homme qui souffre. Va, sûrement, le chauffeur a raison, son fils ne lui a pas écrit.

M. BRUN

Et ce qui lui fait le plus de mal, c'est qu'il ne veut pas l'avouer à personne : voilà le pire.

PANISSE

Naturellement. Il se garde tout son chagrin sur l'estomac, alors, ça fermente, ça se gonfle, et ça l'étouffe.

ESCARTEFIGUE, sentencieux.

Au fond, voyez-vous, le chagrin, c'est comme le ver solitaire : le tout, c'est de le faire sortir.

PANISSE

Tu as raison, Félix. Mais nous, nous n'allons pas le laisser mourir sur place parce qu'il ne veut pas parler. Il faut le sauver.

ESCARTEFIGUE

Et comment tu veux faire ? Tu ne peux pas lui rendre son fils ?

PANISSE

Non. Mais, il faut provoquer ses confidences. Habilement, comme tu penses. Mais moi, je suis sûr que, s'il nous en parle, ça le soulagera, ça lui dégagera le cerveau.

M. BRUN

Fort bien raisonné.

ESCARTEFIGUE

En somme, tu veux lui ouvrir la soupape pour lâcher un peu de vapeur et diminuer la pression ?

PANISSE

C'est ça.

M. BRUN

Ce ne sera pas facile, mais on peut toujours essayer.

ESCARTEFIGUE

Après tout, il ne nous mangera pas.

PANISSE

Non, mais peut-être il va nous lancer le siphon à la figure.

M. BRUN

Non, moi, je ne crois pas. Il va tout simplement gueuler.

ESCARTEFIGUE

Oh ! ça, cocagne !

PANISSE

Monsieur Brun, vous ne le connaissez pas. Il est violent, vous savez...

ESCARTEFIGUE

Oui, quand il s'y met, c'est terrible.

PANISSE

Écoute, Félix, la situation est grave. Dans huit jours, ça sera trop tard.

ESCARTEFIGUE

Honoré, tu as raison. Il va gueuler, il va faire un scandale, il va peut-être tout casser, mais tant pis. Hésiter une seconde, ça serait une lâcheté. Nous devons le faire, nous allons le faire. Vas-y, Honoré.

PANISSE

Moi ?

M. BRUN

Pourquoi pas ?

PANISSE

Bon, j'y vais. Tu me soutiendras ?

ESCARTEFIGUE, stratégique.

Compte sur moi — je suis la deuxième escadre sous-marine. Je te suis... de loin, et pendant qu'il répond à ta bordée, moi, je plonge... et pan ! je le torpille !...

PANISSE

Alors, on y va... Qué, monsieur Brun ?

M. BRUN

Ne craignez rien, j'interviendrai.

PANISSE

Allons-y.

ESCARTEFIGUE

Fais-y l'attaque.

Panisse tousse, il affermit sa voix.

SCÈNE IX

LES MÊMES, CÉSAR

PANISSE

César, tu attends quelqu'un ?

CÉSAR, brusquement.

Moi ? Pourquoi veux-tu que j'attende quelqu'un ?

PANISSE

Je ne sais pas, moi. Depuis une heure, tu es là à t'agiter, à regarder la pendule...

CÉSAR

Moi ? J'ai regardé la pendule ?

PANISSE

Eh bien ! il m'a semblé que tout à l'heure...

CÉSAR, doucement.

Monsieur Panisse, pourquoi m'espionnes-tu ? Par qui es-tu payé ? A quoi ça te sert ?

PANISSE

Monsieur César, je ne t'espionne pas.

CÉSAR

Pourquoi viens-tu avec des yeux luisants de policier
me demander si j'attends quelqu'un ?

PANISSE

Mais, César, dans le fond, que tu attendes quelqu'un,
ou que tu n'attendes personne, j'ai l'honneur de vous
informer que je m'en fous complètement.

CÉSAR

Je ne te demande rien d'autre.

PANISSE

Eh bien ! tu es servi.•

CÉSAR

Je pourrais, à la rigueur, te prier de ne pas employer,
quand tu me parles, des mots aussi grossiers que « je
m'en fous ». Mais enfin, comme ta délicatesse naturelle
n'est pas assez grande pour te faire sentir les nuances,
passons là-dessus. Passons.

Il sort.

PANISSE, à Escartefigue.

Et la torpille ?

ESCARTEFIGUE

Attends, attends. Toi, tu t'es échoué du premier coup.
Mais moi, je vais y aller de face.

PANISSE

Ça m'étonnerait.

M. BRUN

Moi aussi.

ESCARTEFIGUE

Bon. Regardez et écoutez... Soutiens-moi. Pan, je le torpille ! César !... (César se retourne.) Dis donc, César, moi j'ai comme l'impression que tu attends le facteur ?

CÉSAR, glacé.

Moi, j'attends le facteur ? Et pourquoi j'attendrais le facteur ?

ESCARTEFIGUE, avenant et souriant.

Je ne sais pas, moi... Peut-être pour voir s'il ne t'apporte pas une lettre de ton fils ? Pas vrai, Panisse ?

CÉSAR

Halte-là, Félix ! Je te défends de te mêler de mes affaires de famille.

ESCARTEFIGUE

Tu sais, je n'ai pas voulu...

CÉSAR

Moi, par exemple, je ne te demande pas si c'est vrai que ta femme te trompe avec le président des Peseurs-Jurés, n'est-ce pas ? Est-ce que je te le demande ?

ESCARTEFIGUE

Tu ne me le demandes pas, mais tu me l'apprends !
O coquin de sort !

Il tombe sur une chaise.

PANISSE

O Félix ! la torpille t'a pété dans la main ! Pan !...
Mais non, ce n'est pas vrai, Félix !

ESCARTEFIGUE, inquiet.

Vous l'avez entendu dire, monsieur Brun ?

M. BRUN

Mais jamais de la vie ! Et je suis bien sûr que ce n'est
pas vrai !

CÉSAR, doucement.

Que ça soit vrai ou pas vrai, ça ne nous regarde pas.
C'est une affaire personnelle entre M. Escartefigue,
capitaine du feriboite et Mme Fortunette Escartefigue,
son épouse, et aussi, M. le président des Peseurs-Jurés,
celui qui a la belle barbe rousse. Moi, je ne veux rien en
savoir.

ESCARTEFIGUE

Coquin de sort !

CÉSAR

Eh bien ! toi, Félix, imite ma discrétion. Pas de
questions sur Marius. (A Panisse.) Et toi, beau masque,
prends-en de la graine.

PANISSE

Moi, je ne t'ai rien demandé.

M. BRUN

Ni moi non plus.

CÉSAR

Vous ne me demandez rien, mais vous avez une façon de dire : « Je ne t'ai rien demandé » qui signifie : « Nous voulons absolument savoir. » Et vous essayez de me forcer à vous faire des confidences !

M. BRUN

Oh ! mais pas du tout, César !

CÉSAR

Il y a longtemps que ça dure, c'est une véritable conspiration ! Vous voulez tout savoir ? Vous ne saurez rien.

PANISSE

Je t'assure que, pour moi, je ne veux rien savoir du tout.

CÉSAR

Tu ne veux rien savoir du tout ?

PANISSE

Je ne veux pas me mêler de tes affaires de famille.

CÉSAR

C'est-à-dire qu'après une amitié de trente ans, tu te fous complètement de tout ce qui peut m'arriver ?

PANISSE

Mais non, César... Mais non...

CÉSAR

Mais oui, Honoré, mais oui ! Ce sont les propres mots que tu as dits tout à l'heure. Tu as dit : « Je m'en fous complètement. »

PANISSE

Mais j'ai dit ça pour te faire plaisir ! Si tu ne veux rien nous dire, ne dis rien, et si tu veux nous dire quelque chose, eh bien, parle !

CÉSAR, triomphant.

Et voilà ! « Eh bien, parle ! » Je savais bien que vous finiriez par me questionner, j'en étais sûr ! Eh bien ! puisqu'on me force à parler, je vais te répondre.

PANISSE

Non, César, non. On ne te force pas.

CÉSAR

Mais si, mais si. On me force.

M. BRUN

Mais dans le fond...

CÉSAR

Ah ! non ! Taisez-vous, maintenant. Puisqu'on me *force* à parler, au moins qu'on me laisse la parole !

ESCARTEFIGUE

C'est ça, parle, César. Parle.

CÉSAR

Bon. Donc, je vois dans vos yeux et dans ceux de tout
le monde — même dans les yeux des passants — que
vous avez pitié de moi. Je sens très bien ce que vous
devez dire quand je ne suis pas là. Vous dites : « Il doit
pleurer, la nuit, tout seul, dans cette grande maison
vide... il ne s'occupe plus du bar, il attend des nouvelles
de son fils, qui ne lui écrit jamais, et ça brise le cœur de
cet homme. » Eh bien ! puisque vous pensez des choses
pareilles, puisque vous attachez de l'importance à une
histoire qui n'en a pas, et à laquelle je ne pense jamais,
il faut que je m'explique une fois pour toutes.

M. BRUN

C'est ça, expliquez-vous. Ça mettra tout au point.

CÉSAR

Tout à l'heure, tu m'as demandé si j'attendais le
facteur ! Eh bien, non, je n'attends pas le facteur.
D'abord, quand un garçon a eu le courage d'abandonner son vieux père, et de ne pas lui écrire une seule fois
depuis cinquante-neuf jours — il n'y a guère d'espoir
qu'il lui écrive le soixantième.

PANISSE

D'abord, il ne pouvait pas t'écrire avant sa première escale, et sa première, c'est Port-Saïd.

CÉSAR

Eh bien ? D'après les journaux, *La-Malaisie* a touché Port-Saïd, le 7 août. Il y a douze jours.

ESCARTEFIGUE

Pour que la lettre te revienne, il faut presque deux semaines.

CÉSAR

Allons donc ! Il y a un courrier qui fait le voyage en neuf jours !

M. BRUN

Mais il ne le fait pas tous les jours !

Un temps.

CÉSAR, qui change de visage.

Ah ? Vous croyez ?

M. BRUN

Mais naturellement, j'en suis sûr !

CÉSAR

Et puis, d'ailleurs, pourquoi perdre son temps à parler de ces choses ? Ça ne m'intéresse absolument pas !

Entre un petit bonhomme d'Annamite vêtu à la mode de son

pays. Il est chargé de fleurs en papier, de poupées en papier,
de moulinets en papier de couleur piqués autour de son
chapeau. Il va vers le comptoir. César passe derrière pour le
servir.

L'ANNAMITE

Café, bon café. Chaud ! chaud !

César prend la « verse », après avoir jeté une tasse et du sucre sur
le comptoir. Il va remplir la tasse lorsque Panisse parle.

PANISSE

Allons, César, ça ne t'intéresse absolument pas ?

Il fait mine de remplir la tasse. L'Annamite attend d'un air
impatient et ravi.

CÉSAR

Absolument pas.

ESCARTEFIGUE

Allez, vaï !

CÉSAR

Comment « allez, vaï » ? Pourquoi dis-tu « allez, vaï » ?
(Il dépose la « verse ».) Ah ! vous me croyez faible ? Vous me
prenez pour un molasson ! (Il reprend la « verse ».) Vous croyez
qu'on peut me tromper, me bafouer, m'abandonner ? Je
vous ferai voir qui je suis ! (Il verse un gros jet de café bouil-
lant sur le pied nu de l'Annamite, qui bondit en arrière et gazouille
d'incompréhensibles injures. César le regarde avec fureur.) Tu n'es
pas content, dis, jaunâtre ? (L'Annamite invoque les dieux et
profère des malédictions véhémentes.) Allez, ouste ! Fous-moi
le camp !

Il a saisi une matraque. L'Annamite s'enfuit, entouré du tour-
billon de ses moulinets de papier.

PANISSE

Alors, César, ça ne t'intéresse absolument pas ?

ESCARTEFIGUE

Allez, vaï !

CÉSAR

Tenez, une supposition que ce garçon ait eu l'idée d'écrire tous les jours une petite lettre à son père, un petit mot, pour dire : « Je me porte bien, je pense à toi, je me figure ton chagrin... etc. » Une supposition que chaque soir il ait mis sa petite lettre de côté, et que la semaine dernière, en arrivant à Port-Saïd, il les ait toutes mises à la poste d'un seul coup : enfin, une supposition que le facteur se présente à l'instant dans ce bar et qu'il dise : « Voilà pour vous, monsieur César. » Et qu'il me donne un paquet de lettres de trois kilos — de quoi lire toute la nuit, en les lisant trois fois chacune — eh bien, je prendrais le paquet, et je le foutrais sous le comptoir, et je ne l'ouvrirais même pas, parce que ça ne m'intéresse pas !

ESCARTEFIGUE

Allez, vaï !

PANISSE

Allez, vaï ! Tu ne nous feras pas croire que tu n'aimais pas ton fils !

CÉSAR

Je ne dis pas ça, au contraire. C'est vrai, je l'aimais

beaucoup, cet enfant. Mais après ce qu'il m'a fait, c'est
fini.

M. BRUN, nettement.

Mais en somme, qu'est-ce qu'il vous a fait ?

PANISSE

Oui, en somme ?

ESCARTEFIGUE

En somme ?

CÉSAR, au comble de la stupeur et de l'indignation.

En somme ! En somme ! O coquin de pas Dieu ! En
somme ! ! !

M. BRUN, doucement.

Mais oui, en somme, que vous a-t-il fait ?

CÉSAR, rugissant.

Il m'a fait qu'il est parti !

M. BRUN

Eh bien ? A vingt ans ce garçon n'avait pas le droit de
partir ?

CÉSAR

Il n'avait pas le droit de partir sans me le dire.

ESCARTEFIGUE

Ça, c'est vrai. Ce qu'il a fait là, ce n'est guère poli.

PANISSE

Mais s'il te l'avait dit, qu'est-ce que tu aurais fait ?

CÉSAR

Je lui aurais expliqué qu'il n'avait pas le droit.

PANISSE

Et même, au besoin, tu le lui aurais expliqué à grands coups de pied au cul ?

CÉSAR

Naturellement. Je te garantis bien qu'en moins d'un quart d'heure, je lui aurais fait passer le goût de la marine !

M. BRUN

Vous voyez donc qu'il a *bien fait* de ne rien vous dire.

CÉSAR, il rugit

Il a bien fait ! C'est ça, vous approuvez le révolté, vous félicitez l'ingrat ! Encore un bolchevik, qui veut détruire la famille ! Et il faut entendre dire ça dans mon bar ! C'est inouï !

M. BRUN

Mais enfin, César, après tout, si cet homme veut naviguer ?

CÉSAR, sincère.

Cet homme ? Quel homme ?

M. BRUN

Marius est un homme.

CÉSAR, éclatant de rire.

Un homme ! Un homme ! Marius ! ! !

M. BRUN

Il a vingt-trois ans. A cet âge, vous étiez déjà marié ?

CÉSAR

Moi, oui.

M. BRUN

Vous étiez un homme ?

CÉSAR

Moi, oui.

M. BRUN

Alors, ce qui était vrai pour vous n'est pas vrai pour lui ?

CÉSAR, avec force.

Non.

M. BRUN

Et pourquoi ?

CÉSAR

Pour moi, j'ai toujours raisonné différemment, parce que moi, je n'étais pas mon fils.

M. BRUN

Eh bien, César, permettez-moi de vous dire, avec tout le respect que je vous dois, que vous êtes un grand égoïste.

PANISSE

En voilà un qui ne te l'envoie pas dire.

ESCARTEFIGUE

Et il parle bien, ça !

M. BRUN

Si cet homme veut naviguer, vous n'avez pas le droit de l'en empêcher !

CÉSAR

Mais s'il veut naviguer, qu'il navigue, bon Dieu ! Qu'il navigue où il voudra, mais pas sur l'eau !

ESCARTEFIGUE, ahuri.

Mais alors, où veux-tu qu'il navigue ?

CÉSAR

Je veux dire : pas sur la mer. Qu'il navigue comme toi, tiens ! sur le Vieux Port. Ou sur les rivières, ou sur les étangs, ou... et puis nulle part, sacré nom de Dieu ! Est-ce qu'on a besoin de naviguer pour vivre ? Est-ce que M. Panisse navigue ? Non, pas si bête ! Il fait les voiles, lui ! Il fait les voiles pour que le vent emporte les enfants des autres !

> Le facteur paraît sur la porte. Il tend à César une lettre épaisse et un journal. Fanny, qui l'a suivi des yeux, fait un pas vers lui.

SCÈNE X

LES MÊMES, LE FACTEUR

LE FACTEUR

Monsieur César, voilà pour vous !

César fait un pas vers lui, prend la lettre et le journal et ne bouge plus.

FANNY, au facteur.

Vous n'avez rien pour moi ? Fanny Cabanis ?

LE FACTEUR

Oh ! mais je vous connais, mademoiselle ! Non, je n'ai rien pour vous.

FANNY

Vous m'avez peut-être laissé une lettre chez moi, au 39, quai du Port ?

LE FACTEUR

Ah ! si. J'ai laissé un prospectus des *Nouvelles Galeries*.

FANNY

Rien d'autre ?

LE FACTEUR

Rien d'autre pour aujourd'hui. Ce n'est pas ma faute, vous savez... Moi, je les porte, les lettres. Mais ce n'est pas moi qui les écris !

> Il sort une lettre de sa boîte et s'adresse à toutes les personnes présentes.

LE FACTEUR

Est-ce que quelqu'un connaît señor Miraflor y Gonzalès y Cordoba, 41, quai du Port ?

PANISSE

C'est Tripette, le tondeur de chiens.

LE FACTEUR

Tripette s'appelle comme ça ?

PANISSE

A ce qu'il paraît.

LE FACTEUR

Et il habite au 41 ?

ESCARTEFIGUE

Non, peuchère ! Il habite nulle part. Mais comme il est toujours assis sur la porte du 41, il donne cette adresse, té, pour de dire d'en avoir une.

LE FACTEUR

Ah ? C'est Tripette ? Merci. (Il sort.) O Tripette ! O
Tripette ! O Tripette !

> César pose la lettre sur le comptoir, d'un geste décidé. Il garde
> le journal, et va s'asseoir sur la banquette pour le lire. Fanny
> va lentement au comptoir, regarde la lettre et pâlit.

SCÈNE XI

LES MÊMES, moins LE FACTEUR

FANNY

Une lettre de Port-Saïd... ! César, elle est lourde...
César sourcille du coin de l'œil.

CÉSAR

Et après ?

FANNY

César, c'est de lui, c'est de Marius. C'est écrit derrière.

CÉSAR

Et après ?

FANNY

César, lisez-la... Vite, lisez-la.

CÉSAR

Laisse ça, je te prie.

FANNY

Lisez-la.

CÉSAR

Je préfère mieux lire mon journal. *Le Journal des Limonadiers*.

PANISSE, avec douceur.

Allons, César.

CÉSAR

Quoi, allons César ?

PANISSE

Si tu veux lire cette lettre, nous te chinerons pas.

ESCARTEFIGUE, bon enfant.

On sait bien que ce que tu as dit, c'était pour parler.

PANISSE

César, je me mets très bien à ta place : tu as envie de lire cette lettre, et tu luttes contre cette envie à cause de nous, parce que nous sommes là; permets à ton vieil ami de te dire que c'est de l'amour-propre mal placé.

CÉSAR

Quoi ?

ESCARTEFIGUE

Je te dirai, César — et pourtant, il faut du courage — mais je te dirai... puisque c'est mon devoir, je te dirai... exactement comme Panisse, qui l'a dit le premier : c'est de l'amour-propre mal placé.

CÉSAR

Les observations d'un ancien cocu et d'un cocu de l'active n'ont sur moi aucune influence.

Il va s'asseoir et déplie son journal.

PANISSE, vexé.

A qui fait-il allusion ?

ESCARTEFIGUE, perplexe.

Je me le demande.

CÉSAR, il lit son journal.

Le Journal des Limonadiers. Té, on nous augmente le Picon. Seize sous par bouteille. Naturellement. (Il calcule.) Dans une bouteille, il y a seize verres. Ça va faire, pour les clients, quatre sous par verre. Et l'anisette, même romance. Enfin, tant pis. Que faire ? Nous sommes bien forcés d'accepter. N'est-ce pas ? Tiens, il y aura le Congrès des Limonadiers au mois de février, à Toulon. Ça, je ne le manquerai pas.

PANISSE

Allons, César !

CÉSAR

Quoi, allons César ! Parfaitement, j'irai au Congrès des Limonadiers. Ce n'est pas toi qui vas m'en empêcher, peut-être ?

PANISSE

Non certainement. Mais enfin, tu as là des nouvelles de ton fils, et tu devrais bien...

FANNY, doucement suppliante.

César, ouvrez la lettre.

PANISSE

Pour faire plaisir à la petite !

CÉSAR, à Fanny.

Ça t'intéresse donc tant que ça, d'avoir des nouvelles de ce navigateur dénaturé ? Moi, non.

M. BRUN, il prend la lettre.

Voyons, César ? Si vous ne l'ouvrez pas, je vais l'ouvrir !

CÉSAR

Oh ! nom de Dieu ! Vous allez tous m'empoisonner avec cette lettre ! Eh bien, té, moi, je m'en vais la mettre à l'abri.

Il s'enfuit dans la cuisine. Fanny veut le suivre, mais on l'entend fermer la porte à clef.

M. BRUN

Il va la lire dans la cuisine !

PANISSE

Oh ! ça, certainement.

M. BRUN

Et nous, vous ne savez pas ce que nous devrions faire, maintenant ?

ESCARTEFIGUE

Non ?

M. BRUN

Eh bien, nous devrions nous en aller, discrètement, pour ne pas gêner sa rentrée.

PANISSE

Bonne idée.

M. BRUN

Nous sommes d'accord ?

ESCARTEFIGUE, il s'assoit.

Oui, nous sommes d'accord !

M. BRUN, sarcastique.

Nous sommes d'accord, mais vous vous asseyez ! Vous voulez tout voir. Eh bien, monsieur Escartefigue, j'ai entendu dans ce bar assez de calomnies contre les Lyonnais pour avoir le droit de formuler ceci : à Lyon, on sait ce que c'est que la pudeur et la discrétion. Au revoir, messieurs.

Il sort.

SCÈNE XII

LES MÊMES, moins CÉSAR et M. BRUN

ESCARTEFIGUE, stupéfait.

Qué pudeur ? Pudeur ?...

PANISSE

Dis donc, Félix, tu devrais aller voir si Gadagne est réveillé.

ESCARTEFIGUE

Tu crois qu'il faut que j'y aille ?

PANISSE

Les premières parties commencent à neuf heures. Quand on est du Jury, il faut avoir la politesse des rois. Va chercher Gadagne, va.

ESCARTEFIGUE, tristement.

Alors, j'y vais. J'y vais.

PANISSE

Ce n'est pas tellement loin, il y a quarante mètres.

ESCARTEFIGUE

Il y a quarante mètres en passant par là-devant. Mais en passant par la place de Lanche, il y a au moins deux cents mètres.

PANISSE

Et pourquoi tu irais faire le tour ?

ESCARTEFIGUE

Eh ! couillon, en faisant le grand tour, je reste à l'ombre.

Il sort.

SCÈNE XIII

PANISSE, FANNY, puis ESCARTEFIGUE

PANISSE

Fanny ! (Elle s'approche de lui, elle sourit, toute pâle.) Ne tremble pas comme ça ! Il y a sûrement beaucoup de choses pour toi, dans cette lettre.

FANNY

Oh ! non, Panisse... Je ne crois pas...

PANISSE, avec douceur.

Tu ne le crois pas, mais tu l'espères. C'est bête l'amour, tout de même.

FANNY

Ce n'est pas bête, mais c'est mauvais.

PANISSE

Je sais bien que c'est surtout de l'imagination, mais

ça peut faire souffrir quand même... Tu es bien pâlotte, Fanny... Tu devrais bien voir le docteur.

FANNY

Bah ! Pourquoi ?

PANISSE

Mais parce qu'un docteur te renseignera. Il te dira si tu n'as pas de l'anémie, il te marquera des choses pour te donner de l'appétit, *exétéra*...

FANNY

Vous connaissez ma mère. Si je parle d'aller au docteur, elle me croira perdue.

PANISSE

Eh bien, qui t'empêche d'y aller toute seule ? Va chez le Dr Venelle. Il habite dans ma maison, c'est un bon papa... Vas-y un après-midi... Si tu veux, je te donnerai les sous...

FANNY

Oh ! non, merci. J'en ai...

Paraît Escartefigue.

ESCARTEFIGUE

Il est réveillé. Il est même tout prêt à partir.

PANISSE

Il n'est pas saoul, au moins ?

ESCARTEFIGUE

Oh ! non ! Il s'est mis le col de la redingote, et il s'est ciré les souliers que je te dis que ça... Il nous attend, hé.

PANISSE

Alors, on y va. (Il se lève.) Ne sois pas inquiète pour la lettre, Fanny. Aie patience quelques minutes. Dans un quart d'heure, il va te la lire et avant ce soir il va la réciter à tout Marseille.

ESCARTEFIGUE

Allez, Honoré, tu viens ?

Panisse sort.

SCÈNE XIV

CÉSAR, FANNY, puis L'ITALIEN

A ce moment, la porte de la cuisine s'ouvre et César paraît, illuminé. Il tient la lettre à la main.

CÉSAR

Fanny ! Il est bien ! Il se porte bien ! Viens ici, viens. Assieds-toi là. Tu vas me relire la lettre, bien comme il faut. Tiens.

Il lui donne la lettre. Il va s'asseoir pour écouter la lecture. A ce moment, paraît sur le seuil un client. C'est un Italien. César va vers lui.

CÉSAR

Non, non. On n'entre pas... On ne sert pas...

L'ITALIEN

Perché ?

CÉSAR, il montre les bouteilles.

Mauvais ! Les bouteilles empoisonnées !

L'ITALIEN

Ma qué ? Ma qué ?

CÉSAR

Empoisonnato ! La colica frénética et la morte !
Allez chez Moſtégui, au coin. Excellentissimo !
Graziossimo, mineſtrone !

L'ITALIEN

Eſta pa un poco mato ?

CÉSAR

Si, si. Completemente fada ! absoloutamente ! (L'Italien
hausse les épaules et s'en va.) Frise-poulet ! Sers tout ce qu'on
voudra sur la terrasse, mais ne laisse entrer personne !

FANNY, elle lit.

« *Mon cher papa, pardonne-moi, mon cher papa, la peine
que j'ai pu te faire : je sais bien comme tu dois être triſte
depuis que je suis parti, et je pense à toi tous les soirs...* »

CÉSAR, il parle au chapeau de paille.

Bon. Il pense à moi tous les soirs, mais moi, grand
imbécile, je pense à toi toute la journée ! Enfin,
continue.

FANNY

« *Pour dire de t'expliquer toute la chose et de quelle
façon j'avais cette envie, je ne saurais pas te l'écrire. Mais tu
n'as qu'à demander à Fanny : elle a connu toute ma folie.* »

CÉSAR, il parle au chapeau.

Folie, c'eſt le mot. Ça me fait plaisir de voir que tu te
rends compte !

FANNY

« Maintenant, laisse-moi te raconter ma vie... Quand je suis parti, on m'avait mis aide-cuisinier. »

CÉSAR

Aide-cuisinier ! Ils ont dû bien manger sur ce bateau ! Au bout d'un mois il n'y aura plus que des squelettes à bord. Ça va être le bateau fantôme.

FANNY

« Mais au bout de quelques jours, ils m'ont remplacé par un autre homme de l'équipage qui s'était blessé à la jambe en tombant dans la cale, et moi, j'ai pris sa place sur le pont. »

CÉSAR

Bon. Maintenant, attention, ça va devenir terrible !

FANNY

« Je ne t'ai pas écrit plus tôt parce que, en arrivant à Port-Saïd, nous avons eu de gros ennuis. Comme un matelot du bord était mort d'une sale maladie, les autorités ont cru que peut-être c'était la peste, et on nous a mis en quarantaine. »

CÉSAR, exorbité.

La Peste ! Tu entends, la peste ! Coquin de sort ! La peste sur son bateau ! Et dire que quand un de ses camarades de l'école communale attrapait les oreillons, je gardais M. Marius à la maison pendant un mois, pour le préserver ! Et maintenant il s'en va nager dans la peste ! De la peste jusqu'au cou !

FANNY

Mais il ne l'a pas eue, lui, puisqu'il vous écrit.

CÉSAR

Il ne l'a pas eue, mais il a bien failli l'avoir ! Et puis ça n'empêche pas que c'est une maladie terrible. La peste, le cou gonflé, la bouche ouverte, la langue comme une langue de bœuf ! Et le corps couvert de pustules et l'estomac en pourriture et le nombril tout gonflé et noir comme un oursin. Ah ! coquin de sort ! Ah ! Marius ! tu n'as pas fini de nous faire faire du mauvais sang ! Va, continue !

FANNY

« *Mais les docteurs du Port ont tout démantibulé le pauvre mort pour voir ce qu'il avait, et ils ont dit que ce n'était pas la peste.* »

CÉSAR

Tant mieux !

FANNY

« *Maintenant, nous voilà délivrés, et nous allons répartir pour Aden. Ce voyage est merveilleux ; si je voulais te raconter tout ce que je vois, je n'en finirais pas de te le raconter. Mais malheureusement, on ne s'est pas arrêté en route, ce qui est bien regrettable, surtout que nous sommes passés au large de plusieurs îles, où se trouve la célèbre ville grecque d'Athènes, qui était autrefois la grande forteresse des Romains.* »

CÉSAR, fier.

Ça se voit qu'il est avec des savants.

3

FANNY

« *Enfin, tout va très bien, et ma nouvelle vie me plaît beaucoup. Je suis maintenant au service des appareils océanographiques.* »

CÉSAR

Ah ! celui-là, je n'avais pas pu le lire !

FANNY

« *Nous allons nous en servir bientôt pour mesurer les fonds de l'Océan Indien.* »

CÉSAR, ravi.

Tu t'imagines ce petit qui faisait semblant de ne pas savoir mesurer un picon-grenadine et qui va mesurer le fond de la mer ! Qu'est-ce que je dis, la mer ? L'Océan ! Le fond de l'Océan.

FANNY

« *Tous ces messieurs les savants sont très gentils avec moi. Celui des appareils m'a pris en amitié, je lui ai raconté toute mon hiſtoire : il dit que cette envie de naviguer, ça ne l'étonne pas, parce que, comme je suis Marseillais, je suis sûrement le fils de Phéniciens.* »

CÉSAR, inquiet.

Félicien ? Où ? Où ? Qu'est-ce que ça veut dire ?

FANNY

Il y a bien : le fils de Phénicien.

CÉSAR

Le fils de Félicien ? Et moi, alors, je ne serais pas son père ? (Brusquement.) Ah ! je comprends ! je t'expliquerai. Continue, il y a quelque chose pour toi un peu plus loin...

FANNY

« *Enfin, tout ça va très bien et j'espère que ma lettre te trouvera de même, ainsi que Fanny.* »

CÉSAR, affectueux.

Ainsi que Fanny ! Tu vois qu'il pense toujours à toi.

FANNY

« *Donne-moi un peu des nouvelles de sa santé et de son mariage avec ce brave homme de Panisse. Elle sera sûrement très heureuse avec lui, dis-le-lui bien de ma part.* »

CÉSAR

Tu vois : *dis-le-lui bien de ma part.* Tu vois, il pense à toi.

FANNY

« *Ecris-moi à mon nom : bord de* La-Malaisie. *A Aden. Nous y serons le 15 septembre. Je t'embrasse de tout mon cœur. Ton fils, Marius.* »

CÉSAR, avec émotion.

Ton fils, Marius.

FANNY

En dessous, il y a : « *Ne te fais pas de mauvais sang, je suis heureux comme un poisson dans l'eau.* »

CÉSAR

Eh ! oui, il est heureux... Il nous a laissés tous les deux et pourtant, il est ravi... (Fanny pleure. César se raproche d'elle.) Que veux-tu, ma petite Fanny, il est comme ça... et puis, il faut se rendre compte qu'il ne doit pas avoir beaucoup de temps pour écrire, et puis sur un bateau, c'est difficile ; ça remue tout le temps, tu comprends... Evidemment, il aurait pu mettre quelque chose de plus affectueux pour moi — et surtout pour toi... Mais peut-être que juste au moment où il allait écrire une longue phrase exprès pour toi, une phrase bien sentimentale, peut-être qu'à ce moment-là, on est venu l'appeler pour mesurer l'océanographique ? Moi, c'est comme ça que je me l'explique... Et puis, c'est la première lettre... Il y en aura d'autres ! Té, maintenant, nous allons lui répondre. Et comme je n'écris pas très bien, parce que j'ai la main un peu grosse pour le porte-plume, tu vas écrire la lettre pour moi, tiens, cherche un sous-main et du papier, pendant que je mets le guichet, comme ça nous serons plus tranquilles.

Il va verrouiller la porte. Fanny apporte un encrier, des plumes et du papier. Il s'assoit et il dicte.

« *Mon cher enfant,*

« *Enfin, je reçois ta première lettre. Elle n'est pas bien longue... et j'espère que la prochaine durera au moins dix pages ou même vingt. Ce que tu me dis sur ton voyage est tout à fait intéressant et tes savants ne sont pas bêtes, surtout celui qui t'a dit que tu dois être le fils de Félicien, il ne s'est pas trompé de beaucoup, puisque Félicien, c'était le père de ta mère et par conséquent, tu as un peu de son sang.* » Regarde

un peu ce que c'est, ces savants, rien qu'à le voir, ils
sont allés deviner le nom de son grand-père !

On frappe à la porte.

UNE VOIX

Oou ! Il n'y a personne ?

CÉSAR

C'est Hippolitre ! O Hippolitre !

HIPPOLITRE

Pourquoi tu es fermé ?

CÉSAR

Si tu veux boire, reviens dans une heure !

HIPPOLITRE, doucement, insistant.

Mais pourquoi tu es fermé ?

CÉSAR

Fermé pour cause de correspondance !

On entend Hippolitre éclater de rire.

HIPPOLITRE

Oyayaï ! Oyayaï !

CÉSAR

Voilà ce que c'est qu'un illettré ! Où j'en étais-je ?
Continuons, attention : « *Quand tu vas commencer à mesurer
le fond de la mer, fais bien attention de ne pas trop te pencher,
et de ne pas tomber par-dessus bord — et là où ça sera trop
profond laisse un peu mesurer les autres.* » Je le connais,
moi, M. Marius ; quand il avait quatre ans, un jour que je
l'avais mené à la pêche sur la barquette de Panisse, il se
penche pour regarder sa ligne — et pouf ! — un homme
à la mer ! C'est vrai qu'à ce moment-là, il avait la tête
plus lourde que le derrière, et que depuis ça s'est
arrangé. Relis-moi la dernière phrase.

FANNY

Laisse un peu mesurer les autres.

CÉSAR

Souligne les autres. Bien épais. Bon. « *Et si quelqu'un...
à bord avait la peste, ne lui parle que de loin et ne le fréquente
plus, même si c'était ton meilleur ami. L'amitié est une
chose admirable, mais pas la peste, c'est la fin du monde.*

« *Ici, tout va bien et je me porte bien, sauf une colère
terrible qui m'a pris quand tu es parti, et qui n'est pas encore
arrêtée.*

« *La petite Fanny ne va pas bien. Elle ne mange pour
ainsi dire plus rien et elle est toute pâlotte. Tout le monde le
remarque et dans tout le quartier les gens répètent toute la
journée :* « *La petite s'en ira de la caisse, et César partira du
ciboulot* ». *Aussi, Honorine me fait des regards sanglants, et
chaque fois qu'elle me regarde, je me demande si elle ne va
pas me tirer des coups de revolver, et j'en ai le frisson de la
mort.* » Pourquoi tu n'écris pas ?

FANNY

Ecoutez, César, ça, je ne crois pas que ce soit néces-
saire de le mettre — parce que ça va lui faire de la peine.

CÉSAR, hargneux.

Eh bien ? Il ne nous en a pas fait, à nous, de la peine ?

FANNY

Oui, mais ça ne sert à rien de la lui rendre.

CESAR

Au fond, c'est vrai, ça ne sert à rien... Alors, qu'est-ce
que nous mettrons à la place ?

FANNY

Attendez : je vais vous l'écrire.

CÉSAR

Non, non, ne l'écris pas. Dis-le-moi d'abord.

FANNY

Nous mettrons : la petite Fanny est comme d'habitude. Pour son mariage avec Panisse, je crois bien que
rien n'est encore fait, mais peut-être je ne sais pas tout.

CÉSAR

Excellent.

FANNY

En attendant, elle est comme d'habitude. De temps
en temps, nous parlons de toi gentiment, sur la terrasse

du café — et quelquefois, le soir, quand tout est calme, pendant qu'Escartefigue fait la conversation avec Panisse et M. Brun, il nous semble réellement que tu n'es pas parti si loin, que tu es tout juste monté à la gare pour lui descendre ses paniers d'huîtres et que tu vas paraître sur la porte avec ton chapeau de paille et ton petit mouchoir autour du cou...

> Elle pleure. Cèsar se lève, lui tourne le dos et se mouche horriblement.

RIDEAU

DEUXIÈME TABLEAU

Le décor représente la cuisine d'Honorine, éclairée par des cuivres et des carreaux rouges.

Au milieu, Claudine est assise. C'est une belle commère de trente-cinq ans. Elle a une belle robe verte, par-dessus laquelle elle a mis un tablier. Et tout en parlant avec sa sœur, elle tourne vigoureusement l'aïoli dans un mortier qu'elle serre entre ses genoux.

Honorine s'occupe de la marmite en bougonnant.

SCÈNE PREMIÈRE

HONORINE, CLAUDINE

HONORINE

Et comment ça se fait qu'elle n'est pas à son éventaire, ce matin ? Elle s'est encore fait remplacer par la femme d'Escartefigue.

CLAUDINE

Oh ! écoute, ma sœur, quand elle veut aller travailler, c'est toi qui lui dis de rester couchée ou d'aller se promener; et si, par hasard, elle a envie de faire une petite promenade, alors, tu protestes. Ce n'est pas juste. Tu as peur qu'elle soit allée avec un galant ?

HONORINE

Malheureusement, ce n'est pas ça qui m'inquiète ! Si elle pouvait prendre un galant et se marier, le plus tôt possible ! Qu'elle épouse un singe, si elle veut, mais qu'elle se marie !

CLAUDINE

Moi, je trouve qu'il n'y a pas le feu à la maison. Après tout, elle a dix-neuf ans et s'il faut qu'elle attende son fiancé pendant deux ans, il n'y a pas de quoi s'arracher les cheveux !

HONORINE, sèchement.

Ce monsieur-là n'est pas son fiancé. Et elle ne peut pas attendre deux ans.

CLAUDINE

Et pourquoi ?

HONORINE

Parce qu'elle est déshonorée. Il n'y a qu'un mariage pour lui rendre sa réputation. Tout le monde le sait qu'elle a été la maîtresse de ce petit mastroquet. Tout le quartier ne parle que de ça.

CLAUDINE, innocente.

Mais qu'est-ce qu'ils peuvent savoir ?

HONORINE, rageuse.

Que le soir, à dix heures, Marius entrait ici avec la petite et qu'il en sortait vers les sept heures du matin.

CLAUDINE

Et qu'est-ce que ça prouve ? Quand deux personnes sont toutes seules dans une chambre, va-t'en un peu savoir ce qu'ils font !

HONORINE, avec mépris.

Tais-toi, vaï, tais-toi !

CLAUDINE

Moi, je n'ai pas le mauvais esprit et je me dis : peut-être ils se parlaient tendrement, peut-être ils faisaient des projets ou peut-être ils se disputaient.

HONORINE

Ou peut-être ils jouaient aux cartes ! Tais-toi, va, tu n'es qu'une grosse bête !

CLAUDINE

Ça, il y avait longtemps que tu ne me l'avais pas dit ! Et toujours il faudra que j'entende ça ! La pauvre maman, elle, m'appelait coucourde ! A l'école, quand je me trompais, la maîtresse disait : « Ne riez pas, soyez charitables, ce n'est pas de sa faute si elle est bête ! » J'en ai assez moi, à la fin ! Tu crois que ça ne me ferait pas plaisir d'être intelligente comme toi ?

HONORINE

Ne te fâche pas, va, ma belle Claudine !

CLAUDINE, en larmes.

Laisse-moi, laisse-moi. C'est bien possible que je sois bête, mais tout ce que je fais, je le fais de bon cœur.

> On entend sonner le timbre de la porte d'entrée. Honorine tire le cordon.

SCÈNE II

LES MÊMES, LE FACTEUR

On entend dans le corridor une voix sonore.

LE FACTEUR

Mme Cabanis.

HONORINE

C'est le facteur.

Honorine ouvre la porte. Le facteur paraît.

LE FACTEUR

Une lettre recommandée et ça vient de Toulon.

HONORINE

C'est de mon fournisseur de moules. (Elle prend le petit carnet.) Où c'est que je signe ?

LE FACTEUR

Là. (Pendant qu'Honorine signe, le facteur se tourne galamment vers Claudine.) Alors, Mme Claudine, vous êtes un peu Marseillaise, aujourd'hui ?

CLAUDINE

Eh oui ! Je viens passer la journée chez ma sœur.

LE FACTEUR

Elle est si brave votre sœur !

CLAUDINE

Ah oui ! qu'elle est brave !

LE FACTEUR, machiavélique.

Moi, vous savez comment je sais qu'elle est brave ?

CLAUDINE

Non, je ne sais pas.

LE FACTEUR

Eh bien, je le sais, parce que chaque fois que je lui apporte une lettre recommandée, c'est rare si elle m'offre pas un verre de petit vin blanc ?

HONORINE

Mais c'est tout naturel ! et aujourd'hui, ça sera comme les autres fois !

LE FACTEUR, digne.

Ah ! non, pas aujourd'hui.

HONORINE

Et pourquoi ?

CLAUDINE

Vous êtes malade ?

LE FACTEUR

Oh ! non, pas du tout, seulement après ce que je viens de dire, vous pourriez vous imaginer que je l'ai demandé. Ça ne serait pas délicat.

HONORINE

Qué, délicat ! Tenez, c'est du bon petit vin de Cassis !
Elle verse un verre de vin.

LE FACTEUR

Parce que les choses qu'on vous offre, ça fait toujours plaisir. Mais s'il faut les demander, eh bien, moi, ce n'est pas mon genre. A la vôtre.
Il boit.

CLAUDINE, à voix basse, à Honorine.

Demande-z'y !

HONORINE

Quoi ?

CLAUDINE

Ce que tu me disais tout à l'heure, il le sait, lui.

HONORINE

C'est vrai. (Elle s'approche du facteur.) Dites, facteur, il faudrait que je vous demande un renseignement.

LE FACTEUR, il se verse un verre de vin blanc.

Bon. Allez-y, Norine.

HONORINE

Est-ce que ma fille reçoit des lettres du fils de César ?

LE FACTEUR, digne.

Ah ! permettez. Cette question, je n'ai pas le droit d'y répondre.

CLAUDINE

Et pourquoi ?

LE FACTEUR

Et le secret professionnel ? Qu'est-ce que vous en faites ? Vous savez ce que c'est, vous, le secret professionnel ? Non. Moi je le sais.

HONORINE

Ecoutez, il s'agit de ma fille. Il s'agit de choses très importantes pour moi. Dites-moi seulement oui ou non.

LE FACTEUR, solennel

Honorine, malgré toute mon amitié pour vous, et malgré mon respect pour votre vin blanc, je ne peux rien vous dire. Impossible. Je voudrais parler, mais je ne peux pas. Figurez-vous que j'ai sur la bouche un de ces gros cachets de cire rouge qu'on met sur les lettres chargées. Simplement. Alors, je voudrais parler, j'essaie, mais je ne peux pas.

HONORINE

Allez, vaï !

CLAUDINE

Ce n'est pourtant pas difficile de dire oui ou non.

LE FACTEUR

Mais malheureuse, réfléchissez une demi-seconde. Dans cette boîte, il y a chaque matin les secrets de toutes les familles du quai de Rive Neuve. Si j'allais dire, même à ma femme, même dans l'obscurité, même à voix basse, que M. Lèbre reçoit *à son bureau* de petites lettres roses comme celle-ci.(Il brandit une lettre.) Elle vient d'Antibes, du Casino où chante Mlle Félicia. Si j'allais dire que cette lettre (Il brandit une autre lettre.), adressée à Mme Cadolive, vient de la prison d'Aix où son fils aîné finit ses trois ans, pour cambriolage... Qu'est-ce que vous penseriez de moi ? Non, non, ça c'est le secret professionnel ! et celui qui ne le respecte pas, c'est un mauvais facteur qui mérite d'aller en galère. Aussi, moi je ne lis même pas les cartes postales; je ne lis que l'adresse, de l'œil droit.

CLAUDINE, elle lui verse un autre verre de vin.

Mais ce que ma sœur vous demande, ça ne risque pas de faire un drame.

HONORINE

Si vous me le dites, vous me donnez un renseigne-ment bien précieux pour le bonheur de ma petite. Allez, vaï ! soyez brave ! dites-le-moi !

LE FACTEUR, digne.

Revêtu de cet uniforme, je suis l'esclave du devoir, Honorine, esclave. Mais peut-être qu'avec un peu d'intelligence, nous pourrions nous arranger. Fermez la fenêtre. Attention ! Regardez-moi bien. Et posez-moi votre question.

HONORINE

Est-ce que Fanny reçoit des lettres de Marius ?

LE FACTEUR

Attention au mouvement.

De la tête, il dit non.

HONORINE

Vous êtes sûr qu'elle n'en reçoit pas ?

LE FACTEUR

Attention. Regardez-moi bien.

(De la tête, il dit oui.)

CLAUDINE

Vous en êtes sûr qu'elle n'en a jamais reçu ?

LE FACTEUR

Regardez-moi bien.

De la tête, il dit oui.

HONORINE

Mais si jamais elle en reçoit une, vous me préviendrez ?

LE FACTEUR, indigné.

Mais non, mais non, je n'ai pas le droit. Je ne vous préviendrai pas.

CLAUDINE

Allez, vous n'êtes pas gentil.

LE FACTEUR

Tant pis ! Moi, je ne tiens pas à être gentil. Je fais mon devoir, voilà tout ! Si Marius lui écrit et que je le voie par les tampons sur l'enveloppe, je ne vous le dirai pas. Seulement, n'est-ce pas, elle a le même nom que vous. Alors, il pourrait arriver par hasard que je me trompe et que je vous donne la lettre à vous ! Mais ça ne serait pas de ma faute.

HONORINE

Ah ! ça serait parfait !

LE FACTEUR

Ce serait parfait si ça arrivait. Alors, au revoir, Norine. Et excusez-moi.

HONORINE

De quoi ?

LE FACTEUR

De n'avoir pu vous donner le renseignement. Si j'avais pu, ça aurait été avec plaisir. Mais qu'est-ce que vous voulez, je n'ai pas le droit. C'est le secret professionnel.

Il sort.

SCÈNE III

CLAUDINE, HONORINE

CLAUDINE

Eh bien, tant mieux, qu'il ne lui écrive pas. Parce que comme ça, ça va lui passer. Elle l'oubliera.

HONORINE

Oui, elle l'oubliera ou bien elle va mourir de mauvais sang.

CLAUDINE, rêveuse.

Tu crois ? Mais alors, ça serait un amour comme au cinéma. Une passion. C'est terrible, mais quand même c'est beau.

HONORINE

Ah ! tu trouves que c'est beau, toi ? Ça te paraît beau ma situation ? Elle est désespérée, ma situation. Je ne dors plus, je ne mange plus, je n'ose plus regarder mes amies.

CLAUDINE

Va, n'exagère pas, Honorine. Moi, dans ma petite jugeote, je ne m'effrayais pas trop jusqu'à maintenant

Je me pensais : petit à petit, elle va l'oublier et à la fin des fins, si elle n'en trouve pas un qui soit mieux, elle épousera maître Panisse.

HONORINE

Ah ! moi aussi, je l'espérais !

CLAUDINE

Eh bien, tu vois que je ne suis pas si bête que ça, puisque je pensais comme toi.

HONORINE

Eh oui, mais moi, quand je pensais ça, j'étais aussi bête que toi. Parce que maintenant, même si elle reprend le dessus, même si elle accepte maître Panisse, eh bien, ça ne se fera pas, parce que c'est Panisse qui ne voudra plus.

CLAUDINE

Et pourquoi il ne voudrait plus ?

HONORINE

Mais à cause de toute la comédie, parbleu ! Tu crois que c'est rassurant pour un homme de cinquante ans, d'épouser une jeune fille qui meurt d'amour en public, pour un autre ?

CLAUDINE, inquiète.

Il te l'a dit ?

HONORINE

Mais non, il ne me l'a pas dit, mais quand je le rencontre, il ne me dit plus rien.

CLAUDINE, même jeu.

Il ne te parle plus ?

HONORINE

Il me parle de la pluie et du beau temps, mais de la petite plus un mot ! (Le timbre de la porte d'entrée retentit. Honorine se lève en disant :) Qu'est-ce que c'est ? (Puis elle va tirer sur le levier qui ouvre la porte. Enfin, elle ouvre la porte de la salle à manger, regarde dans le corridor et dit avec étonnement :) C'est un monsieur avec un chapeau gibus.

CLAUDINE, effrayée.

Moun Diou ! C'est peut-être un huissier !

HONORINE

Mais pourquoi ce serait un huissier ? Moi, je dois rien à personne !

> La porte s'ouvre, entre Panisse en habit et chapeau gibus et gants blancs.

SCÈNE IV

LES MÊMES, PANISSE puis LE CHAUFFEUR

HONORINE

Mon Dieu, c'est vous, Panisse ?

PANISSE, souriant.

Eh oui, c'est moi. Bonjour, mesdames.

CLAUDINE

Bonjour, maître Panisse, et comment ça va ?

PANISSE

Mais ça va très bien, chère madame Claudine, et vous-même ?

CLAUDINE

Comme vous voyez, ça ne va pas mal !

PANISSE, galant.

Moi, je vous trouve très en beauté.

HONORINE

C'est vous qui êtes beau. Quand je vous ai vu dans le couloir, vous m'avez fait peur.

PANISSE

C'est-à-dire que je viens du mariage d'un vieil ami, Ulysse Pijeautard, le gantier de la rue Paradis. Et voilà pourquoi je suis en habit.

CLAUDINE, admirative.

Et gants blancs.

PANISSE, charmé.

Et gants blancs, comme vous voyez.

CLAUDINE

Ça vous va bien, vous savez ?

PANISSE, désinvolte.

Oui, l'habit ça flatte toujours; et ce n'est pas moi qui suis élégant, c'est mon costume.

CLAUDINE, flatteuse.

Ah ! ne dites pas ça, maître Panisse ! Il faut savoir le porter ! Et vous, vous le portez bien. Pas vrai, Norine ?

Les deux sœurs ont échangé un coup d'œil d'intelligence.

HONORINE

Ah ! oui, pour ça, il le porte bien. Mais comment ça se fait que vous ne soyez pas resté au banquet de la noce ?

PANISSE

Parce qu'aujourd'hui, c'était le mariage à la mairie. Le banquet ça sera demain et d'abord, ça ne sera pas un banquet. Ça sera un « lonche ». C'est un mot anglais. Ça veut dire banquet d'ailleurs, mais c'est beaucoup plus distingué.

HONORINE

Et c'était joli, cette noce ?

PANISSE

C'était charmant. C'était même émouvant. Pour moi, surtout. Pijeautard était veuf comme moi. Et à peu près de mon âge, comme moi. Et il a épousé une jeune fille ravissante. Oui, sa caissière. Toute jeune.

CLAUDINE, enthousiaste.

Il a bien fait.

PANISSE, machiavélique.

Il y avait deux ou trois personnes à la sortie de la mairie qui ont eu un peu l'air de se foutre de lui. Moi, il me semble que ces personnes n'ont pas eu raison. Et vous, qu'est-ce que vous en pensez ?

CLAUDINE

C'est des jaloux, voilà ce que c'est !

PANISSE

Qu'est-ce que vous en pensez, vous, Honorine ?

HONORINE

Si ça fait plaisir à la petite, tout est pour le mieux !

CLAUDINE

Quand un homme de cinquante ans a envie de se marier, et quand sa situation lui permet de s'offrir une jeunesse, pourquoi voulez-vous qu'il aille chercher une femme vieille et laide, qui dépense vingt sous par jour de tabac à priser ?

PANISSE

Alors, vous, vous approuvez Pijeautard ?

CLAUDINE, rayonnante.

Moi, je le félicite.

PANISSE

Parfaitement raisonné. Ma chère Claudine, vous avez toujours eu du bon sens; et vous, Norine ? Est-ce que vous le blâmez ce cher, ce bon, ce sympathique Pijeautard ?

HONORINE

Ma foi, non, je ne le blâme pas s'il la rend heureuse, et s'il lui a donné toutes les garanties de bonheur et de fortune.

PANISSE

Mais naturellement qu'il les lui a données et même, il est tout prêt à lui en donner d'autres si elle l'exige ou si ça peut faire plaisir à sa mère ! C'est la moindre des choses. Donc, nous sommes tous d'accord, n'est-ce pas ? Nous approuvons hautement ce mariage et nous félicitons Pijeautard ?

CLAUDINE

Té, s'il était là, je l'embrasserais.

PANISSE

Eh bien, ma chère Honorine, puisque je vois qu'ici le bon sens règne désormais, je pense que l'occasion est bien choisie pour renouveler aujourd'hui une démarche dont le résultat aura, sur tout mon avenir, une importance capitale. Je pensais vous trouver seule, mais Mme Claudine est de la famille, elle ne me gêne pas, au contraire.

CLAUDINE, à Honorine.

Hum !

HONORINE

Attendez une seconde, Panisse. Donnez-moi le temps d'enlever mon tablier. (Elle enlève son tablier, tandis que Panisse attend appuyé sur sa canne et le chapeau à la main. Puis il ôte ses gants et les jette au fond de son chapeau, Honorine se rassoit.) Allez-y !

PANISSE

Je veux épouser votre fille. Vous le savez très bien, puisque je vous l'ai déjà demandée. Et aujourd'hui j'ai profité de l'habit, pour renouveler ma demande. Vous me la donnez ou vous ne me la donnez pas ?

CLAUDINE, enthousiaste.

Mais oui, on vous la donne !

HONORINE

De quoi tu te mêles, toi, grosse bête ? (Un temps.) Mon cher Panisse, il ne serait guère convenable que je vous donne une réponse si brusquement. Il faut me laisser au moins un jour pour réfléchir... Et d'ailleurs, avant de commencer à réfléchir, il faut que je vous pose des conditions. Oh ! Pas la question d'argent, puisque nous l'avons déjà discutée.

PANISSE

Ben, je comprends ! Vous êtes même venue au magasin pour regarder ma comptabilité ! Alors, à propos de quoi, ces conditions ?

HONORINE

Vous savez ce qui s'est passé depuis notre dernière conversation à ce sujet ?

PANISSE, pudique.

Oui, je le sais.

HONORINE, mystérieuse.

Marius, n'est-ce pas, Marius...

PANISSE, gêné.

Oui, oui, je sais, je sais.

CLAUDINE

N'insiste pas, Norine. Il te dit qu'il sait.

HONORINE

Mais peut-être vous ne savez pas tout.

PANISSE, impatient.

Mais oui, Norine, je sais tout ce que j'ai à savoir !

HONORINE

Tout ? Panisse ? Tout ?

PANISSE, brusquement.

Ecoutez, Norine, Marius c'est un sujet de conversation que je n'aime pas beaucoup. Parlez-moi de la pluie, du beau temps, de la vie chère, ou même des impôts, mais ne me parlez pas de Marius.

HONORINE

Et moi, vous croyez que ça me plaît, de parler de lui ? Moi, c'est par honnêteté que je fais allusion au fait que j'ai trouvé ma fille couchée avec lui.

PANISSE, désespéré.

Oh ! couquin de pas Diou ! Il a fallu qu'elle me le dise ! Vous ne pouvez pas la tenir, votre langue ?

CLAUDINE

Norine ? Norine ?

HONORINE

Ma langue, je la tiens quand je veux. Mais je voulais vous le dire pour que, ensuite, vous n'alliez pas nous faire des scènes en disant qu'on vous l'avait caché. Et maintenant, j'irai plus loin. Comme il s'agit d'une affaire très grave, je vais être franche jusqu'au bout. Ce que je vais vous dire, je ne l'ai jamais dit à personne, et il ne faut pas que vous le répétiez jamais.

PANISSE

Bon. Jamais.

HONORINE

Jurez-le-moi.

PANISSE

Je vous le jure.

HONORINE

Sur qui ?

PANISSE, ému.

Sur la tombe de ma première femme, Norine.

HONORINE

Bon. (A voix basse.) Eh bien, Panisse, la petite a tout le caractère de ma sœur Zoé.

PANISSE, inquiet.

Pas possible !

CLAUDINE

Mais pas du tout !

HONORINE

Tais-toi, toi. Oui, mon beau. Pour le physique, elle tire plutôt du côté de son père. Mais pour le caractère, c'est Zoé toute crachée.

PANISSE, songeur.

Hé...

CLAUDINE

Mais jamais de la vie, Norine !

HONORINE

Zoé aussi, quand elle avait quinze ans, elle était sage, elle jouait toute seule avec ses poupées... elle n'aimait pas les garçons, et si un essayait de l'embrasser dans un coin, elle lui graffignait la figure comme une furie... Et puis, après, quand elle a connu l'Espagnol, adiou botte ! Ça lui a pris comme un coup de mistral, et elle est devenue ce que vous savez : elle était comme un parapluie fermé, qui ne peut pas tenir debout tout seul.

PANISSE, solennel.

Les parapluies fermés tiennent très bien debout, Norine, quand ils ont un mur pour s'appuyer.

HONORINE

C'est vous le mur ?

PANISSE

Oui, c'est moi le mur.

CLAUDINE

Vous êtes brave, Panisse.

PANISSE

Pas tant que ça, pas tant que ça ! Mais je l'aime bien.

HONORINE, touchée.

C'est vrai, Panisse ?

PANISSE

Et puis, il faut un peu risquer dans la vie, quand on veut avoir quelque chose...

HONORINE

Peut-être que vous prenez un grand risque...

CLAUDINE, éclatant.

Enfin, ça, c'est son affaire, après tout ! Ne le décourage pas, cet homme !

HONORINE

En tout cas, vous allez me promettre une chose.

PANISSE

Laquelle ?

HONORINE

Promettez-moi que, si elle vous trompe, vous ne me la tuerez pas.

PANISSE, solennel.

Je suis un brave homme, vous venez de me le dire. Mais ce droit-là, je ne peux pas y renoncer. Non, je ne peux pas !

HONORINE

Assassin !

CLAUDINE

Mon Dieu !

PANISSE

Mais vous me demandez une promesse impossible ! Et la tradition, alors ? Je ne suis pas un Anglais, moi. J'ai l'âme orientale. Et si j'étais Turc ?

CLAUDINE

Qué Turc ?

PANISSE

A Constantinople, Norine, il n'y a pas de cocus : il n'y a que des veufs.

HONORINE

Alors, pourquoi vous n'avez pas tué votre première femme ?

PANISSE

D'abord, parce qu'elle ne m'a jamais trompé. Et ensuite, parce qu'elle me faisait ma comptabilité. Voici mon dernier mot, Norine. J'épouse la petite, je fais n'importe quoi pour elle, mais si elle me trompe, il y aura du cadavre dans la maison.

CLAUDINE

Quel sauvage !

HONORINE

Alors, c'est non, et c'est non, et c'est non !

CLAUDINE

Non ! Non ! Non !

PANISSE

Attendez ! Naturellement, je ne chercherai jamais à savoir si elle me trompe : cette sorte de surveillance serait indigne de moi. Et si on vient me donner n'importe quelle preuve, et même si on me la montrait dans les bras d'un galant, eh bien, j'ai tellement confiance en elle que je ne le croirai jamais.

CLAUDINE

Bravo !

PANISSE

Voilà l'exacte position de la question.

HONORINE

Ça, c'est différent ! Eh bien, écoutez, j'irai vous porter ma réponse demain au soir, chez vous.

PANISSE

Bien ! Puis-je avoir un petit espoir ?

CLAUDINE

Oh ! un gros, Panisse, un gros espoir.

PANISSE

Je me retire donc, ma chère Honorine : la démarche officielle est terminée. Sachez que chez moi, parmi les voiles et les cordages, j'attends. J'attends dignement.

> Une orange crevée, traîtreusement lancée par la fenêtre, par le chauffeur, fait tomber le mirifique chapeau. Panisse se retourne brusquement, fou de rage.

PANISSE

O booumian ! O mange punaises ! Et c'est le chauffeur d'Escartefigue, encore !

> Honorine a ramassé le chapeau, et elle l'essuie avec son tablier.

HONORINE

Le plus malheureux, c'est que l'orange était pourrie.

PANISSE

L'orange était pourrie ! (Avec plus de force.) O braconnier, tu ne pouvais pas prendre une orange neuve pour un chapeau de trois cents francs !

LA VOIX DU CHAUFFEUR, éperdu.

Monsieur Panisse, je vous avais pas reconnu !

PANISSE

Viens ici ! Viens ici, sinon j'appelle le commissaire ! Viens ici ! (Le chauffeur entre par la fenêtre.) Tourne-toi, que je te donne le coup de pied que tu mérites !

LE CHAUFFEUR, qui se tourne.

Pas trop fort, monsieur Panisse !

PANISSE, terrible.

Tourne-toi !

LE CHAUFFEUR,
en se tournant à demi et pendant que Panisse prend son élan.

Je l'ai pas fait exprès... Je vous avais pris pour un Américain !

PANISSE, il arrête ses préparatifs.

Tu m'avais pris pour un Américain ?

LE CHAUFFEUR

Par-derrière, monsieur Panisse... Si vous pouviez vous voir.

PANISSE, ravi.

Dites, Norine, il me prenait pour un Américain...

HONORINE

Après tout, c'est possible !

> Honorine lui rend son chapeau. Le chauffeur, qui se sent pardonné, tend son derrière avec une bonne volonté touchante.

PANISSE

Repos ! Au fond, ce n'est pas tout à fait de ta faute, va ! Au revoir, Norine. Au revoir, Claudine. Mais à l'avenir chaque fois que tu verras un Américain, fais bien attention que ce ne soit pas moi !

> Il sort digne et souriant.

SCÈNE V

LES MÊMES, moins PANISSE

CLAUDINE

Eh bien ! ça y est, tu vois que ça y est, j'en étais sûr. Mais la petite, elle, est-ce qu'elle voudra ?

HONORINE

J'en sais rien, té ! maintenant, quoi qu'il arrive, nous sommes parées. Si elle ne veut pas Panisse, qu'elle en trouve un autre. Si elle n'en veut pas d'autre, qu'elle prenne Panisse. Je ne sortirai pas de là. (Au chauffeur qui est assis sur la fenêtre.) Oh ! Frise-poulet ! tourne un peu la tête du côté du bar et dis-moi si tu ne vois pas venir Fanny ?

LE CHAUFFEUR

Qu'est-ce que vous me donnez si je regarde ?

HONORINE

Comment : qu'est-ce que je te donne ?

LE CHAUFFEUR

Ça vaut bien cinq sous, allez !

CLAUDINE

Quel toupet !

LE CHAUFFEUR

Ecoutez, madame Claudine, si j'avais pas le torticolis, c'est un travail que je vous ferais pour rien, je n'aurais qu'à tourner la tête, mais avec ce que j'ai, il faut que je me tourne tout entier, ça vaut cinq sous ! ou alors, un bout de pain.

HONORINE

Tu n'as pas de quoi manger ?

LE CHAUFFEUR

Je n'ai plus d'argent. Je l'ai tout perdu en jouant à Sèbe.

HONORINE, elle lui lance un gros morceau de pain.

Tiens, malfaisant ! tu la vois Fanny ?

LE CHAUFFEUR

Oui, je la vois... Ah ! non, té, c'est pas elle, c'est la charrette des balayures.

HONORINE, la main levée.

Tout aro ti mandi un basseou !

LE CHAUFFEUR

Allez, vaï, rigolez pas... Je vous ai dit ça pour rire... Si elle paraît, je vous le dirai. Dites, qu'est-ce que je vais manger avec ça ?

HONORINE

Si, des fois, tu voulais un poulet rôti ?

LE CHAUFFEUR

Ah ! oui, té... Ça, c'eſt gentil, Norine... Mais bien cuit, qué ? Autrement, je le veux pas.

HONORINE

Tiens, voilà un bout de fromage !

CLAUDINE

Et ne casse plus les chapeaux du monde !

LE CHAUFFEUR, il essaie de mordre le fromage.

Merci, Norine... O coquin de sort qu'il eſt dur ! Il n'y manque que le manche pour faire un marteau... Té, voilà Fanny qui s'amène de ce côté. (Il saute dans la rue.) Merci qué, Norine ?

Il part en dansant et en chantant.

> *Madame de Limagne*
> *Fai dansa lei chivaou frus :*
> *Li doune des caſtagnes*
> *Disoun que n'en voulon plus !*

CLAUDINE, à la fenêtre.

La voilà qui vient ! Ne lui parle pas de Panisse tout de suite. Attends que nous soyons à table. Ça sera plus en famille.

SCÈNE VI

HONORINE, CLAUDINE, FANNY

HONORINE

Entre Fanny. Elle est très pâle, elle marche comme une somnambule.

Enfin, mademoiselle arrive ! Et où tu étais, petite coquine ? Tu vas te faire remplacer tous les jours, maintenant ?

Fanny ne répond pas. Elle traverse la pièce, elle va s'asseoir sur le fauteuil, et elle regarde fixement devant elle.

CLAUDINE, elle va l'embrasser.

Bonjour, petite !

FANNY, avec effort.

Bonjour, tante...

HONORINE, aigre.

Elle ne t'a pas fait beaucoup de bien, la promenade ! Tu ne peux plus nous parler, maintenant ?

CLAUDINE

Mais oui, elle peut parler ! Mais nous ne lui laissons pas le temps de dire un mot ! (A Fanny.) Alors, tu es allée faire un petit tour ?

FANNY

Oui.

CLAUDINE

Et qu'est-ce que tu regardes ?

FANNY

Rien.

HONORINE

Ah ! écoute, vé, aujourd'hui que tante Claudine vient nous voir, ne recommence pas à faire le mourre, s'il te plaît !

CLAUDINE

Mais non, Norine, elle ne fait pas le mourre !

HONORINE

Mais regarde-la. Elle fait un mourre de six pieds de long !

CLAUDINE

Allez, vaï, ne la gronde pas ! (A voix basse.) Tu ne vois pas que c'est la Passion ? (A haute voix.) Nous allons bavarder à table, toutes les trois, en famille... D'abord, moi, j'ai faim. Té, Fanny, aide-moi à mettre le couvert ! (Elle a pris une nappe dans un tiroir, elle la déploie.) Tu n'as pas faim, toi ?

> Fanny la regarde sans la voir. Puis, brusquement, elle se lève, elle va à sa mère, et elle parle.

FANNY

Maman, je vais avoir un enfant.

HONORINE, figée.

Qu'est-ce que tu dis ?

CLAUDINE

Fanny ? Mais qu'est-ce que c'est que cette idée ?

FANNY

Je vais avoir un enfant. Le docteur vient de me le dire.

HONORINE

Ah ! mon Dieu ! Ah ! mon Dieu ! (Elle tombe sur une chaise. Elle se relève brusquement.) Ce n'est pas possible ! Ce n'est pas vrai !

CLAUDINE

Un enfant !

HONORINE, elle court à la porte et l'ouvre toute grande.

Va-t'en, fille malhonnête ! Va-t'en, fille perdue ! Si ton pauvre père était là, il te tuerait ! Moi je t'ouvre la porte !

CLAUDINE

Et où veux-tu qu'elle aille ?

HONORINE

A la rue, les filles des rues ! Moi, tu n'es plus ma fille, je ne veux plus te voir !

FANNY

Maman !

HONORINE

Monte dans ta chambre, va faire tes paquets, et file !

CLAUDINE

Norine, ne dis pas de folies... Tais-toi, Norine... Tais-toi !

HONORINE

C'est encore pire que Zoé ! C'est la honte sur la famille ! Va-t'en tout de suite, ou je te jette dehors à coups de bâton, petite cagole !

CLAUDINE

Norine !

> Pendant que Claudine retient sa sœur, Fanny chancelle. Elle va tomber.

> HONORINE, elle s'élance pour la retenir.

Et la voilà qui s'évanouit, maintenant ! (Elle la retient dans ses bras.) Du vinaigre ! Vite, du vinaigre !

> Claudine court prendre la bouteille de vinaigre.

CLAUDINE

Tu n'as pas honte, dans la position qu'elle est ? Tu veux la tuer ?

HONORINE

Fanny !

CLAUDINE

Peuchère ! Elle est blanche comme une morte !

HONORINE, affolée.

Fanny ! Ma petite Fanny ! Ma fille !

CLAUDINE

Fanny !

HONORINE

Ma fille ! Ma petite fille chérie ! Fanny ! Ne meurs pas ! Vite, ouvre les yeux, ne meurs pas ! Fanny, je te pardonne, mais ne meurs pas !

Fanny ouvre les yeux.

FANNY

Maman ! Ce n'est rien, maman... Là, tu vois, c'est passé...

CLAUDINE

Respire, tiens, respire... La couleur lui revient...

HONORINE, de nouveau déchaînée.

Ah ! c'est de honte que tu devrais rougir ! Tu devrais t'étouffer de honte !

CLAUDINE, violente.

Ah ! toi, tais-toi ! Dès qu'elle tourne de l'œil, tu

sanglotes, et dès qu'elle va mieux, tu recommences !
Laisse-la tranquille.

HONORINE

Alors toi, tu trouves tout naturel qu'une fille rentre
chez elle avec un polichinelle sous le tablier ?

CLAUDINE

D'abord ne crie pas, que tout le quartier nous écoute.
Elle va fermer la fenêtre.

HONORINE, à Fanny.

Tu n'as pas honte ?

CLAUDINE

Mais oui, elle a honte, tu le vois bien ! Evidemment,
ce qui arrive, c'est un grand malheur. Mais enfin, après
tout ce que tu m'as raconté, tu pouvais un peu t'y
attendre ! Quand une fille a un amant, elle attrape un
enfant plus facilement que le million ! Ça, ça prouve
son innocence, au contraire ! Laisse-moi lui parler.
Ecoute, Fanny, ne t'effraie pas. Réponds bien doucement, sans te fatiguer. Tu en es sûre, de ce malheur ?
(De la tête, Fanny dit oui.) Bon. Et cet enfant, de qui est-il ?
De Marius ?

HONORINE, avec fureur.

Et de qui veux-tu qu'il soit ? Elle n'a quand même
pas encore couché avec tout Marseille !

CLAUDINE

Bon. Il est de Marius.

HONORINE

Ah ! celui-là, si je le tenais ! Elle a tort, elle, naturelle-ment. Mais c'est une enfant, elle ne savait pas, il l'a trompée, il a dû se jeter sur elle, comme une bête sauvage ! Oh ! mais j'irai me plaindre à la justice, moi ! Au bagne, à casser des pierres ! Au bagne, les forçats, les saligauds, les assassins, les satyres ! Bonne Mère, que les diables de la mer lui mangent son bateau sous les pieds ! Que les favouilles le dévorent, celui qui a ruiné la vie de ma pauvre petite innocente ! (Elle prend Fanny dans ses bras, elle l'embrasse.) Ma pauvre petite!

CLAUDINE

Ah ! évidemment ça prouve bien que ce garçon n'a guère de délicatesse... Faire un enfant à une jeune fille, c'est un gros sans-gêne. Mais le mal est fait, et bien fait.

HONORINE

Oui, on peut dire que c'est réussi.

CLAUDINE

Mais maintenant, il faut trouver le remède, pas plus...

HONORINE, sarcastique.

Et oui, pas plus ! Dis-moi, ma petite, dis-moi, maintenant, depuis quand tu le sais, ce malheur ?

FANNY

Depuis qu'il est parti, je me sentais malade... Je n'étais plus comme d'habitude... J'avais mal au cœur tous les matins...

HONORINE

O bonne mère !

FANNY

Et puis, je mangeais beaucoup.

HONORINE

Mais à table tu ne prenais rien !

FANNY

Je mangeais par caprice, n'importe quand, n'importe quoi. Du pain, du chocolat, des fruits, des coquillages, ça me prenait comme ça tout d'un coup... Et puis, j'avais l'air très maigre, et quand je me suis pesée, j'ai vu que je n'avais pas maigri. Au contraire.

CLAUDINE

Moun Diou ! Ça y était !

FANNY

Alors, j'ai eu peur, une peur horrible... J'y pensais le jour, j'y pensais la nuit... Je pleurais tant que j'en étais

saoule... Marius ne m'écrivait pas... J'ai pensé à me jeter
à la mer.

HONORINE

Malheureuse ! Ne fais jamais ça ! Va, comme tu as dû
souffrir de porter ton secret toute seule !

FANNY

Et enfin, ce matin, je me suis décidée. Je suis allée
voir un docteur. Le docteur Venelle.

HONORINE, découragée.

Un bon docteur. Un savant, celui-là ! Et qu'est-ce
qu'il t'a dit ?

FANNY

Que ça serait pour le mois de mars.

HONORINE, découragée.

Eh bien ! Un joli mois ! Le mois des fous ! Et après,
qu'est-ce que tu as fait ? Je parie que tu es allée raçonter
la chose à César ?

FANNY

Non. Après, je ne sais pas. Je suis partie dans les
rues, j'ai marché... Je ne sais pas où je suis allée... A la
fin, j'ai bu du rhum dans un café, et je suis venue ici,
pour tout te dire.

HONORINE

Eh bien, nous sommes propres ! Ne pleure pas, vaï.
Ça ne sert à rien. Après tout, l'honneur, c'est pénible de

le perdre. Mais quand il est perdu, il est perdu. Que voulez-vous y faire ?

CLAUDINE

Et puis, tant que personne ne le sait, il n'y a pas de déshonneur ! Si on criait sur la place publique les fautes de tout le monde, on ne pourrait plus fréquenter personne !

HONORINE

Toi, maintenant, qu'est-ce que tu comptes faire ?

FANNY, elle se jette dans ses bras.

Je ferai ce que tu voudras, pourvu que tu me gardes.

HONORINE

Alors, c'est tout simple, et nous sommes sauvées. Épouse Panisse.

FANNY

Tu crois qu'il me voudrait encore ?

CLAUDINE

Il t'a redemandée ce matin !

HONORINE

Et cette fois-ci, c'est : « Oui ! Oui ! Oui ! »

CLAUDINE

Mariage dans quinze jours.

HONORINE

J'irai lui porter la réponse tout à l'heure.

CLAUDINE

Qu'est-ce que tu en dis, toi ?

FANNY, hésitante.

Moi, je pense que je gagne très bien ma vie; je suis capable de travailler, de me débrouiller toute seule. Mon idée, si maman me le permettait, ce serait de ne pas me marier, et d'élever mon enfant par mon travail, en attendant que son père revienne, s'il revient.

CLAUDINE

C'est beau, mais c'est difficile.

HONORINE

Difficile ? Impossible, tu veux dire. Qu'elle fasse un enfant sans avoir un mari ? Ne perdons pas notre temps à dire des choses qui n'ont pas de sens !

FANNY

Maman, et la fille du brigadier des douanes, Madeleine Cadot, est-ce qu'elle n'a pas une enfant sans père ? Elle l'élève très bien, et elle n'est pas malheureuse !

HONORINE

Ce n'est pas la même chose. Le père est mort juste comme ils allaient se marier, tandis que le tien est parti à la nage à toute vitesse, de toutes ses forces, pour ne pas t'épouser. Et puis, tu ne vas pas comparer la famille Cadot avec la nôtre. Les Cabanis !

CLAUDINE

Eh oui, c'est vrai ! Vous autres, vous êtes des Cabanis ! Et puis, fais bien attention, Fanny : dans toutes les familles, il peut y avoir une fille-mère ou une garce. Ça se pardonne, parce que c'est naturel. Mais maintenant, chez nous, c'est impossible, parce que notre sœur Zoé a déjà pris le tour !

HONORINE

Si tu n'acceptes pas Panisse, nous sommes tous déshonorés, et moi je mourrai de chagrin, par ta faute !

CLAUDINE

Si tu en as un autre en vue, qui te plaise et qui t'aime assez, dis-le ! Le petit Victor, par exemple ?

FANNY

Oh ! non, pas Victor.

HONORINE

Il n'y a point de santé dans cette famille... C'est vrai que la santé du père n'a pas une grande importance,

puisque l'enfant est déjà tout fait ! Mais le fils de
Cadoret, qui te fait les yeux blancs depuis le catéchisme ?
Il est riche ! il est beau garçon...

FANNY

Non, non, je n'en veux pas un jeune. Si tu me forces à
me marier, alors, je préfère Panisse.

HONORINE

Et tu as raison.

FANNY

Mais lui, est-ce qu'il me voudra ?

HONORINE

Puisqu'on te dit qu'il te redemande !

FANNY

Oui, mais il ne savait pas.

HONORINE

Il sait très bien tout ce qui s'est passé avec Marius.
J'ai pris la précaution de le lui rappeler tout à l'heure !

FANNY

Il ne peut pas savoir que j'attends un enfant !

HONORINE

Heureusement, qu'il ne peut pas le savoir ! Ça sera
un enfant de sept mois, voilà tout !

FANNY, stupéfaite

Tu veux que je l'épouse sans lui dire la vérité ?

HONORINE

Mais toi, tu serais assez bête pour aller lui raconter la chose ?

FANNY

Mais il le faut, voyons ! Ce serait un crime !

HONORINE

Elle est folle, ou alors, elle le fait exprès. Tu ne sais plus qu'inventer pour nous mettre dans l'ennui.

CLAUDINE

Fanny, tu te rends bien compte que cet homme, c'est notre seul espoir. Si tu vas lui dire qu'il faut qu'il épouse deux personnes à la fois, il ne voudra plus.

HONORINE

Si tu parles, c'est terminé, c'est fini.

CLAUDINE

Et d'abord, pourquoi lui dirais-tu ? Tu n'es même pas absolument sûre que c'est vrai.

HONORINE

Mais naturellement, qu'elle n'en est pas sûre !

FANNY

Le docteur Venelle me l'a dit.

HONORINE

Mais il est gâteux, le docteur Venelle ! Il a soixante
ans !

CLAUDINE

C'est peut-être nerveux, ce que tu as !

HONORINE

Mais oui, c'est les nerfs ! Ou alors, c'est un air qui
passe... Une espèce de grippe... Ne te fais pas une
montagne d'une chose qui n'est peut-être pas vraie !

FANNY

Alors, si ce n'est pas ça, je ne suis pas forcée de me
marier.

HONORINE

Mais il n'y a pas besoin d'être enceinte pour se
marier ! Il y a même de véritables jeunes filles qui se
marient ! Prends Panisse, puisqu'il se présente, et ne lui
dis rien.

FANNY

Non, maman, ce serait malhonnête, ce serait un
mensonge abominable !

HONORINE

Mais tu n'auras pas besoin de mentir ! Il ne te deman-
dera jamais rien ! Ah ! Si tu connaissais la vanité des
hommes et surtout sous ce rapport ! Il trouvera tout
naturel d'avoir un bel enfant après six ou sept mois de
mariage !

CLAUDINE

Oh ! ça, sûrement ! Et il ne sera pas le premier ! Et
puis, Fanny, réfléchis un peu, Panisse, c'est un homme
très bon, n'est-ce pas ?

FANNY

Oui.

CLAUDINE

Il faudrait que tu n'aies guère de cœur pour le priver
d'une grande joie. La joie d'être père. Il le mérite bien,
va.

FANNY

Et moi, qu'est-ce que je penserais de lui pendant ce
temps ? qu'est-ce que je penserais de moi ? Non, non.
Je ne veux pas être malhonnête à ce point.

HONORINE

Une femme n'est jamais malhonnête avec un homme.
Si nous sommes dans cette misère, c'est à un homme
que nous le devons. Eh bien, faisons payer la faute par
un homme.

FANNY

Ce n'est pas le même !

HONORINE

Allons donc ! C'est toujours le même ! Ils sont tous
pareils ! Et d'ailleurs, celui-là, s'il veut t'épouser, c'est
parce que tu es jeune et jolie. Ne le prends pas pour un
saint. Est-ce que ça ne vaut pas quelque chose, ça ?

FANNY, violemment.

Non, non, j'ai commis une faute grave, je le sais. J'ai
gâché ma vie. Tant pis pour moi. C'est moi que ça
regarde. C'est à moi de me débrouiller. Alors, parce que
Panisse est bon, parce qu'il m'aime, j'irais mettre un
bâtard chez lui ? Et tu veux que je lui vole son **nom**
pour l'enfant d'un autre ? Mais c'est ça qui serait un
crime ! Si je faisais une chose pareille, je n'oserais plus
regarder personne dans les yeux, je me croirais la
dernière des dernières, je serais une vraie fille des rues !
Et c'est vous qui me proposez ça ?

HONORINE, scandalisée.

C'est ça ! Donne-nous des leçons de morale à présent !
Tu n'as pas tant fait de chichis quand tu menais ton
gigolo dans ta chambre de jeune fille ! De mentir à ta
mère, ça ne te faisait rien ! Va, tu es une ingrate, tu es
une méchante fille, tu es...

CLAUDINE

Tais-toi, Norine. Nous n'allons pas recommencer la comédie. Tout ça est horriblement tragique, mais on peut manger quand même. Fanny, assieds-toi là.

FANNY

Je n'ai pas faim.

HONORINE

Après ce que tu nous as dit tout à l'heure ?

FANNY

Je mangerai plus tard. Il faut que j'aille remplacer Fortunette. Elle est à l'éventaire depuis ce matin. J'y vais.

Elle sort.

HONORINE

Fanny !

Fanny ne répond pas.

SCÈNE VII

LES MÊMES, moins FANNY

HONORINE

Et où elle va ?

CLAUDINE, à table servant la soupe.

Où elle t'a dit.

HONORINE, assise.

Quand on n'a pas d'enfants, on est jaloux de ceux qui en ont et quand on en a, ils vous font devenir chèvre ! La Sainte Vierge, peuchère, elle n'en a eu qu'un et regarde un peu les ennuis qu'il lui a faits !

CLAUDINE

Et encore, c'était un garçon !

HONORINE

Elle est pas allée se noyer, au moins ?

CLAUDINE

Non. Si elle voulait le faire, son petit la retiendrait. (Elle commence à manger.) Assieds-toi, Norine ! (Honorine s'assoit et prend une cuillère.) Dis, Norine, les petits bâtards, ils sont moins jolis que les autres ?

HONORINE

Non, au contraire, souvent ils sont plus forts, et plus intelligents.

CLAUDINE, elle mange sa soupe.

Et alors, de quoi tu te plains ?

RIDEAU

ACTE II

LES VOILES

Le décor représente le magasin de Panisse, maître voilier. Le magasin est très long et très étroit.

Au plafond, les grosses poutres en bois, rondes, très apparentes.

Au fond, la porte, entre deux vitrines. Les vitrines sont cachées par des rideaux de toile à voile, à cause du soleil. A droite, perpendiculairement à la rampe, un comptoir en bois. Il est très long, très large, et très vieux.

Au fond, au bout du comptoir, il y a la caisse, qui est beaucoup plus haute.

Derrière le comptoir, il y a de hautes étagères, chargées de coupons de toile à voile, de toutes les nuances de blanc et de crème.

Au fond, à gauche, sur un socle, un modèle de goélette, toutes voiles dehors et un scaphandre.

Contre le mur de gauche, une haute vitrine, qui contient de nombreux petits modèles de bateaux à voiles.

Dans les coins, des ancres de toutes les dimensions, des chaînes en fer et en cuivre — et dans un coin, pareil à une énorme botte d'asperges, un fagot de mâts pour canots de plaisance.

Au premier plan, à droite, un énorme gouvernail en bois, très ancien.

SCÈNE PREMIÈRE

PANISSE, LE CHAUFFEUR

Quand le rideau se lève, maître Panisse est assis sur le comptoir et il
mange paisiblement, son assiette à la main. Autour de lui, sur le
comptoir, des assiettes sales, une miche, une bouteille de vin, un
verre, une salière.
Un temps. Panisse mange. Sur la porte, le chauffeur, assis à terre,
mange le pain et le fromage que lui a donnés Honorine.
A la machine à coudre, une ouvrière coud une voile.

PANISSE, la bouche pleine.

O galavard, qu'est-ce que tu manges ?

LE CHAUFFEUR

C'est un morceau de pain et un bout de fromage que
Mme Honorine vient de me donner.

PANISSE

Tu es bien poli aujourd'hui, que tu dis « Mme Honorine ».

LE CHAUFFEUR

Oh ! mais dites, c'est qu'aujourd'hui, elle m'a donné
à manger !

PANISSE

Alors, si je ne te donne rien, tu ne m'appelleras
jamais monsieur Panisse ?

LE CHAUFFEUR

Vous n'avez pas besoin de rien me donner. Vous, je
vous dis toujours monsieur Panisse, même quand vous
n'êtes pas là.

PANISSE, flatté.

Et pourquoi ?

LE CHAUFFEUR, respeĉtueux.

Parce que vous avez le gros ventre.

PANISSE

O, dis, Marrias, j'ai le gros ventre, moi ? (Il descend du
comptoir, rentre son ventre.) Regarde un peu si j'ai le gros
ventre, ô myope !

LE CHAUFFEUR

O, allez, il eŝt gros. Vous avez beau le rentrer, mais
quand même il eŝt gros. Allez, vaï, donnez-moi
quelque chose à manger.

PANISSE

Tiens, il reŝte de la salade de poivrons, si tu la veux,
prends-la.

LE CHAUFFEUR, au comble de la joie.

O coquin de sort ! des poivrons ! Merci, monsieur Panisse !

Entre M. Brun. Panisse va vers lui.

PANISSE, en passant, à la commise, il montre les assiettes éparses.

Té, petite, arrange un peu ça.

SCÈNE II

PANISSE, M. BRUN

PANISSE

Alors, monsieur Brun, vous l'avez bien vu, ce bateau ?

M. BRUN

Eh oui ! Je viens de l'examiner à fond.

PANISSE

Et alors ?

M. BRUN

Pour le prix, il me paraît très bien.

PANISSE

Je comprends, dites, qu'il est bien... C'est un véritable lévrier des mers !

M. BRUN, perplexe.

Le moteur me paraît bien petit.

PANISSE

Mais c'est bien ce qu'on vous a dit : ce n'est pas un canot à moteur, c'est un bateau à voiles avec un moteur auxiliaire. Alors, vous l'avez acheté ?

M. BRUN

Eh oui. J'ai donné 300 francs d'arrhes.

PANISSE

Alors, je vous fais le jeu de voiles complet, comme convenu.

M. BRUN

Naturellement.

PANISSE

Voilà la maquette. (Il va prendre un petit canot et le met sur le comptoir.) Tout simple, un joli foc, et une voile latine. (Il regarde le numéro de la maquette.) No 24 — et ici, j'ai les mesures du bateau. (Il prend un coupon derrière lui, et en déplie un mètre.) Et voilà la toile que je vous ai choisie. Touchez-moi ça, monsieur Brun, ça a du corps, c'est léger, c'est solide, et ça ne mouille pas dans l'eau. Et regardez-moi le grain.

> Il pose sur la toile un petit appareil en cuivre à deux loupes. M. Brun applique son œil sur la première loupe.

M. BRUN

Oui, ça me paraît bien, mais c'est un peu raide, vous ne trouvez pas ?

PANISSE

Écoutez, monsieur Brun : c'est une voile, que vous voulez ou bien un pantalon pour madame ? Si c'est pour un pantalon, ne prenez pas ça. Mais pour une voilure, je vous le conseille : une voile, ça supporte de l'épaisseur. Et puis, cette toile, ça va vous faire des voiles qui vont claquer dans le vent : chaque fois que vous changerez de bord, vous allez entendre s'envoler toute une compagnie de perdreaux. (Il imite le bruit d'une compagnie de perdreaux « Frr... Frr... ») C'est poétique.

M. BRUN

Oui, c'est poétique. Mais qu'est-ce que ça va me coûter, pour une voilure complète ?

PANISSE

Mille francs.

M. BRUN

C'est poétique, mais c'est cher.

PANISSE

Un tout petit, mais tout petit billet de mille francs. Le plus petit billet de mille francs possible.

M. BRUN

Qu'est-ce que c'est, le plus petit billet de mille francs possible ? Un billet de cent sous ?

PANISSE

Oou ! Non, non ! Je veux dire que, comparé à une voilure, c'est si petit un billet de mille francs, monsieur Brun ! Plié en quatre, c'est rien du tout ! Pensez que pour ce petit bout de papier, je vous fais tout ça ! Réellement, c'est un cadeau entre amis.

M. BRUN

Un cadeau, pas précisément. Mais enfin, tout de même...

> Il palpe la toile, il réfléchit. Entre César, dans son costume de ville.

SCÈNE III

LES MÊMES, CÉSAR

PANISSE, un peu ennuyé.

Té, bonjour, César !

CÉSAR

Bonjour, messieurs !

M. BRUN

Bonjour, César !

CÉSAR

Vous achetez des voiles, monsieur Brun ?

M. BRUN

Je fais choix d'une voilure pour mon bateau.

CÉSAR

Vous avez acheté un bateau ?

M. BRUN

Je viens d'acheter le *Pitalugue*, sur les conseils de maître Panisse.

CÉSAR, stupéfait.

Le *Pitalugue* ? Le grand canot blanc ?

M. BRUN

Oui. Vous le connaissez ?

CÉSAR

Vous pensez si je le connais ! Mais tout le monde le connaît, ici. C'est l'ancien bateau du docteur Bourde. Depuis, il a eu au moins quinze propriétaires !

PANISSE, il fait signe à César de se taire.

Allons, César, allons !

M. BRUN

Ah ! C'est curieux.

CÉSAR, goguenard.

Oui, c'est curieux. Mais le bateau lui-même est encore bien plus curieux.

M. BRUN

Et pourquoi ?

CÉSAR, à Panisse.

Comment, tu ne l'as pas averti ?

M. BRUN

Mais de quoi ?

César rit.

PANISSE, gêné.

Ecoutez, monsieur Brun. J'ai peut-être oublié de vous dire qu'il est un peu jaloux.

M. BRUN

César est jaloux ?

PANISSE

Non, le bateau est jaloux. Ça veut dire qu'il penche facilement sur le côté, vous comprenez ?

M. BRUN, inquiet.

Et il penche... fortement ?

PANISSE, confiant.

Non, monsieur Brun. Non.

CÉSAR

C'est-à-dire que quand on monte dessus, il chavire, mais il ne fait pas le tour complet, non ! Dès qu'il a la quille en l'air, il ne bouge plus. Il faut même une grue pour le retourner du bon côté !

M. BRUN

Oh ! mais dites donc ! Et ça lui arrive souvent ?

PANISSE

Mais non, monsieur Brun. Mais non !

CÉSAR

C'est-à-dire que ce bateau est célèbre pour ça depuis ici jusqu'à la Madrague et qu'on l'appelle *Le Sous-Marin*.

M. BRUN

Allons, César, vous plaisantez !

PANISSE

Mais certainement, qu'il plaisante ! Il est certain que
ce bateau a chaviré, quelquefois, parce qu'il n'était
pas lesté comme il faut — et puis, il faut savoir s'en
servir, parce que c'est un fait qu'il est jaloux.

M. BRUN, perplexe.

C'est curieux, parce qu'il n'en a pas l'air.

CÉSAR

Oh ! non, il n'en a pas l'air, mais c'est un petit
cachottier.

M. BRUN, à César.

Alors, vous prétendez que dès que je mettrai le pied
dessus, ce bateau va chavirer ?

CÉSAR

C'est probable, mais ce n'est pas sûr. Après tout, il a
tellement chaviré, que peut-être maintenant il en est
dégoûté. Il ne voudra plus, té.

M. BRUN

Quelle blague ! Et pourquoi chavirerait-il systéma-
tiquement ?

CÉSAR, sérieux.

Parce qu'il a une hélice trop grosse pour lui; elle prend trop d'eau. Alors, si vous forcez la vitesse, au lieu que ça soit l'hélice qui tourne, c'est le bateau — et alors, il se dévire.

PANISSE, furieux.

Mon cher César, tes plaisanteries sont ridicules. Ce bateau-là, monsieur Brun ne l'a pas fait faire sur commande; et il ne l'a pas payé au prix d'un canot inchavirable. Il l'a payé 1.500 francs; c'est une occasion !

M. BRUN, à César.

Vous ne trouvez pas qu'à ce prix-là, même avec ses défauts, c'est une belle occasion ?

CÉSAR

Oh ! oui ! C'est une belle occasion de se noyer.

M. BRUN, direct.

Voyons, Panisse, vous connaissez fort bien ce bateau, et c'est vous qui me l'avez fait acheter. Franchement, est-ce que ce bateau chavire ?

PANISSE, philosophique.

Mais, mon cher monsieur Brun, les royaumes chavirent, les jolies femmes chavirent et nous finirons tous par chavirer au cimetière ! Tout chavire dans la nature et, naturellement, surtout les bateaux.

CÉSAR

Et surtout celui-là.

PANISSE

Vous garantir que le *Pitalugue* ne chavirera jamais, je
ne le peux pas.

CÉSAR

Oh ! que non !

PANISSE

Ce sont les risques de la navigation. Si vous voulez
aller sur la mer, sans aucun risque de chavirer, alors,
n'achetez pas un bateau : achetez une île !

CÉSAR

C'est ça, achetez le château d'If et Panisse vous fera
les voiles !... Monsieur Brun, capitaine du *Sous-Marin* !
Ah ! on vous a bien embarqué, monsieur Brun !

M. BRUN, piqué.

Mon cher César, depuis un quart d'heure, vous
essayez de me mettre en boîte. Eh bien, permettez-moi
de vous dire que ça ne prend pas.

PANISSE

Bravo !

M. BRUN, qui se monte.

D'ailleurs, pour couper court à toutes ces galéjades,
je vais l'essayer immédiatement, je m'en vais le sortir du
port.

PANISSE, inquiet.

Mais non, monsieur Brun, ce n'est pas la peine ! D'abord, vous ne pouvez pas, vous êtes tout seul !

M. BRUN

J'irai avec le petit chauffeur. (Au chauffeur.) Dis donc, phénomène, veux-tu venir avec moi essayer le *Pitalugue* ?

LE CHAUFFEUR

Oui, mais après ce que César vient de dire, vous comprenez que ce sera cinq francs.

M. BRUN

Soit. Ce sera cinq francs. Et vous, Panisse, vous nous accompagnez ?

PANISSE, très gêné.

Je voudrais bien, mais je ne peux pas.

CÉSAR

Pas si bête !

PANISSE

Ce serait avec le plus grand plaisir, mais je ne peux pas quitter le magasin. Nous travaillons ici. Tenez, monsieur Brun, emportez tout de même une bouée. Je sais bien que vous ne vous en servirez pas, mais ça ne peut pas vous faire du mal.

M. BRUN

Au fait, oui.
Il prend la bouée.

PANISSE

Et je donne immédiatement des ordres à l'atelier pour couper les voiles.

M. BRUN

Non, non. Attendez donc le résultat de l'expérience.

CÉSAR

Oui, attendons le résultat.

M. BRUN, à César.

Je suis d'ailleurs bien tranquille, car je sais ce que c'est qu'un bateau, je suis un connaisseur de bateaux.

CÉSAR

Vous en avez tout l'air.

M. BRUN

J'ai vu ce bateau-là, je l'ai examiné, je l'ai jugé. D'après sa ligne, sa coupe, son gabarit, ce bateau-là ne peut pas chavirer, il ne chavirera pas. Et pourtant je vais faire tout mon possible pour le faire chavirer.

CÉSAR

Allez, monsieur Brun, ne forcez pas votre possible. Ça se fera tout seul. Vous savez nager ?

M. BRUN

Mon cher César, je suis heureux de vous donner une preuve de la confiance que j'ai dans ce bateau. Je ne sais pas nager du tout.

CÉSAR

Alors, adieu, monsieur Brun.

M. BRUN

Comment, adieu ?

CÉSAR

Nous nous reverrons au ciel.
M. Brun hausse les épaules.

M. BRUN, au chauffeur.

A nous deux !
Ils sortent.

SCÈNE IV

PANISSE, CÉSAR

PANISSE, furieux.

Et voilà comme tu es ! Avec tes racontars et tes calomnies, tu me fais perdre une occasion de lui vendre une voilure complète !

CÉSAR

Oh ! toi, pour vendre six mètres de toile, tu ferais noyer n'importe qui. Tu es un assassin, Panisse, un véritable assassin.

PANISSE

En tout cas, grâce à toi, voilà mille francs que j'ai ratés.

CÉSAR

Si le bateau ne chavire pas, tu les retrouveras.

PANISSE

Oui, mais tu le sais aussi bien que moi qu'il va chavirer !... Tu avais bien besoin de venir maintenant, avec ta canne et ton joli chapeau !

CÉSAR

J'ai ma canne et mon joli chapeau parce que je viens de faire des courses. Et je suis ici parce que j'ai à te parler très sérieusement.

PANISSE

Eh bien, tu aurais pu me parler sans épouvanter la clientèle.

CÉSAR

La clientèle est en train de se noyer par ta faute.

PANISSE

Se noyer ! Allons donc ! Se noyer !.... Et qu'est-ce que c'est que tu veux me dire ?
Le facteur passe devant le magasin. Il ouvre la porte et se penche.

LE FACTEUR, il tend un paquet.

Maître Panisse !
Panisse va vers lui, prend le courrier, le facteur voit César.

LE FACTEUR

Tiens, vous êtes là, monsieur César ? J'ai une lettre pour vous. Ça vient de Macassar.

CÉSAR

Donnez...
Il prend la lettre et la regarde avec émotion.

PANISSE

C'est de Marius ?

> César ne répond pas.

CÉSAR

Ecoute, ce que je voulais te dire, je reviendrai te le dire tout à l'heure. Je vais d'abord chez moi, lire la lettre de mon fils.

PANISSE

Ce que tu voulais me dire, ça a un rapport avec ton fils ?

CÉSAR

Oui.

PANISSE

Bon. Mais tu ne peux pas lire cette lettre ici ?

CÉSAR

Non. Non. J'aime mieux être seul.

PANISSE

Mais si tu veux, tu n'as qu'à aller à la salle à manger.

CÉSAR

Non. Non. Une lettre du petit, ça doit se lire à la maison.

PANISSE

Bon.

CÉSAR

Alors, à tout à l'heure.

PANISSE

A tout à l'heure.

César sort. Panisse va derrière son comptoir mesurer ses
coupons.

SCÈNE V

PANISSE, ESCARTEFIGUE

Panisse est derrière son comptoir. Dehors, passe Escartefigue. Il se penche dans la porte entrouverte.

ESCARTEFIGUE

Adieu, Panisse !

PANISSE

Adieu, Félix, où tu vas ?

ESCARTEFIGUE

Je vais vite m'installer à la terrasse chez César, pour jouir du coup d'œil.

PANISSE

Qué coup d'œil ?

ESCARTEFIGUE

M. Brun a acheté *Le Sous-Marin*... Il va l'essayer et il y a beaucoup d'espoir qu'il soit noyé.

PANISSE

Fais attention qu'il a emmené ton chauffeur !

ESCARTEFIGUE

Oh ! lui, il sait nager ! J'espère bien qu'il va tomber à l'eau, parce que je le verrais au moins une fois avec là figure propre, et ça me ferait plaisir de faire sa connaissance !

PANISSE

Méfie-toi que peut-être tu ne le reconnaîtras plus !

ESCARTEFIGUE, il regarde du côté du port.

Té, les voilà qui partent ! M. Brun a déjà mis la ceinture de sauvetage !

PANISSE

Oh ! comme il a bien fait !
Le téléphone sonne. Panisse va au téléphone.

PANISSE

Allô, oui, oui. Je vous l'envoie tout de suite. (A la commise.) Dis, petite, on demande le foc à l'atelier. Tu es prête ?

LA COMMISE

Oui, maître Panisse.

PANISSE

Porte-le tout de suite et dis-leur que pour les voiles de M. Brun, ce n'est pas la peine de commencer. J'ai l'impression que c'est foutu.

LA COMMISE

Bien, maître Panisse.

Elle sort jusqu'à la porte de la rue.

PANISSE, il crie.

Et dis-leur qu'ils se dépêchent pour les voiles du canot de la douane. Il nous les faut demain matin.

Panisse revient à son comptoir en chantonnant. Entre Fanny.

SCÈNE VI

PANISSE, FANNY

PANISSE

Bonjour, ma belle !

FANNY

Bonjour, maître Panisse !
Elle reste sur la porte toute pâle.

PANISSE

Mais entre donc, voyons !

FANNY

Dites, Panisse, est-ce que je puis vous parler ?

PANISSE

Mais naturellement que tu peux me parler !

FANNY

J'ai quelque chose d'extrêmement grave à vous dire.
Mais ne restons pas ici, nous serons sûrement dérangés...

PANISSE

Attends. C'est bien facile. (Il va fermer la porte et en retire le bec-de-cane. Puis il baisse les stores des vitrines et de la porte.) Nous voilà en pleine tranquillité. Alors, toi aussi, tu as quelque chose de grave à me dire ? C'est peut-être la même chose que César ?

FANNY

Non. Ce que je veux vous dire, César ne le sait pas.

PANISSE

Alors, ça me fait deux gravités pour aujourd'hui ! C'est une journée chargée !... Mais cette gravité-là je sais ce que c'est : ta mère t'a dit que je t'ai redemandée ce matin ?

FANNY

Oui, elle me l'a dit.

PANISSE

Et tu viens me porter ta réponse ?

FANNY

Oui...

PANISSE

Et tu as l'air tout ennuyée, et tu n'oses pas dire un seul mot ; va, je sais bien pourquoi et je vais te faciliter la chose ; tu viens me dire non encore une fois. Eh bien, tant pis, il ne faut pas te faire du mauvais sang pour moi : si c'est non, c'est non, et puis, c'est non, té, voilà tout ! Tant pis, que faire ?

FANNY

Vous vous trompez, Panisse. Je ne viens pas vous dire non.

PANISSE, tremblant.

Est-ce que tu viens me dire oui ?

FANNY

Je viens vous dire que, si c'était encore possible, je dirais oui. Mais ce n'est plus possible.

PANISSE

Et pourquoi ?

FANNY

Parce qu'il y a une chose grave que vous ignorez et quand vous saurez cette chose, c'est vous qui ne voudrez plus.

PANISSE

Moi, je ne voudrais plus ? Ça m'étonnerait. Dis un peu cette chose, pour voir ?

FANNY

Il me faut beaucoup de courage pour vous dire la vérité ! Mais cette vérité, je vous la dois ! Même si vous devez ensuite me mépriser.

PANISSE

Te mépriser ? Mais non, mais non. Et d'abord cette
chose-là, je la sais déjà. Et même plusieurs personnes la
savent. Deux fois, on a vu Marius sortir de chez toi à la
petite pointe du jour. Eh bien, quoi ? Et après ? Si
quelqu'un venait me dire : « Maître Panisse, vous avez
épousé une jeune fille que vous n'avez pas été le
premier », je lui répondrais : « Eh bien, dites donc, et
moi, est-ce que j'étais vierge ? » Non, n'est-ce pas ?
Alors ?... Et ceux qui épousent des veuves, ou des
divorcées ? Qu'est-ce que ça peut faire, ça, après
tout ?.... Pour moi, c'est tout le contraire, ça ne me
fâche pas, et je vais t'expliquer pourquoi : quand un
monsieur de mon âge épouse une fillette comme toi,
n'est pas très joli, parce que ce n'est pas juste. Elle, elle
va lui apporter la jeunesse et la beauté; elle s'amène
toute fraîche et toute neuve. Et lui, qu'est-ce qu'il
offre en échange ? Un intérieur, une situation sociale,
une affection et une moustache grise — je veux dire,
grisonnante. Eh bien, ce n'est pas une affaire très
honnête. Mais du moment que la jeune fille a eu, pour
ainsi dire, un amant, eh bien, ça rétablit un peu l'équi-
libre et je peux me marier avec toi sans perdre ma propre
estime. Je me garde toute ma sympathie... ma sympathie qui m'est personnelle et que j'y tiens énormé-
ment... Voilà ma façon de penser...

FANNY

Vous êtes bon, Panisse, mais il y a autre chose :
quelque chose de plus terrible, quelque chose qui ne
peut pas s'effacer...

Un temps.

PANISSE

Bon, ça te gêne de parler. Mais moi, je vais parler pour toi. Parce que je comprends ce que tu veux dire : il y a que tu penses toujours à lui et que, par délicatesse, tu tiens à m'avertir et à me le répéter. Eh bien, répète-le-moi tant que tu voudras. Après tout, ce n'est pas de ta faute et ce n'est pas de la mienne. Je te réponds que d'ici deux ans, tu seras une femme différente, que s'il revient, nous l'inviterons à la maison et que tu seras étonnée de voir qu'il n'est pour toi qu'un étranger.

FANNY

C'est vrai, je pense encore à lui; mais il y a encore quelque chose de plus grave... une conséquence irréparable...

PANISSE

Et quoi ?

FANNY

Ne me forcez pas à le dire. Tâchez de comprendre...

PANISSE, plein de bonne volonté.

Eh bien, tu vois, je tâche, j'essaie, je cherche...

FANNY, elle se lève.

Non, vous ne cherchez pas, vous avez compris, je le vois. Vous prenez l'air de celui qui ne veut pas comprendre, parce que je vous fais horreur, comme à tout le monde. Je le savais... Et si je suis venue ici, ce soir, c'est à cause de ma mère...

PANISSE, perplexe.

Qu'est-ce que je fais semblant de ne pas comprendre ?

FANNY

Allez, vous avez raison, Panisse, ne me prenez pas ! Je suis une fille perdue, perdue... Et je n'ai même plus le droit de me tuer.

Il s'approche d'elle — et sans le vouloir, il parle en provençal. Elle sanglote. Il est en proie à une grande émotion.

PANISSE, à voix basse.

Es un pichon, Fanny ? Digo mi, Fanny, es un pichon ? (Elle dit « oui » d'un signe de tête.) Tu en es sûre ? C'est le docteur qui te l'a dit ? (Même jeu.) C'est donc pour ça que tu étais malade !

Fanny dit « oui » d'un signe de tête.

FANNY

Ne me méprisez pas trop, Panisse. Vous m'avez demandée ce matin, je n'avais qu'à vous dire « oui », mais j'ai voulu vous avertir. Je serais bien heureuse maintenant, si je devenais votre femme. Mais j'ai un petit enfant qui me mange le ventre. Il veut naître, et il naîtra.

PANISSE

Et tu accepterais quand même de m'épouser ?

FANNY

J'accepterais d'être votre servante, je vous obéirais comme un chien. Et j'aurais tant de reconnaissance pour vous que je finirais par vous aimer !

PANISSE

Mais ce petit, tu me le donnerais ? Il serait mien ? Il aurait mon nom ?

FANNY

C'est la seule chose que je vous demande.

PANISSE, en extase.

O bonne Mère !

FANNY

Vous me voulez quand même ? C'est vrai ?

PANISSE

Ecoute, Fanny. Tu n'as jamais remarqué mon enseigne ? Il y a : « Honoré Panisse » et en dessous « Maître voilier. » Est-ce que tu as remarqué que les lettres sont un peu trop serrées sur la gauche et qu'il reste, au bout, comme un espace vide ?... Eh bien, regarde ça ! (Il est allé derrière le comptoir et il ouvre un tiroir fermé à clef.) Regarde. (De ce tiroir, il sort de grandes lettres d'enseigne, jadis dorées.) « Ça, c'est « et ». Ça, c'est « leu ». (Il place les lettres sur une planche.) Ça, c'est « i », ça c'est « feu ». Ça, c'est « seu ». (Il les a placées dans leur ordre, et il lit.) Et fils. Il y a trente ans qu'elles sont dans ce tiroir, et je n'ai jamais pu les sortir. (Un grand temps. Panisse gesticule sans rien dire. Fanny se tait.) Attends, Fanny. Un peu de précision. Est-ce que tu as dit ton secret à quelqu'un ?

FANNY

Le docteur le sait.

PANISSE

Bon. Mais lui ne pourra rien dire, puisqu'il est docteur. Et ensuite ?

FANNY

Il y a ma mère et ma tante Claudine.

PANISSE

Celles-là ne diront rien à personne, à cause de l'honneur de la famille. Il n'y a personne d'autre qui le sache ?

FANNY

Non, personne.

PANISSE

Bon. Et maintenant, quand est-ce qu'il va naître, MON petit ?

FANNY

Au mois de février, ou au mois de mars.

PANISSE, joyeux.

Mais ça tombe très bien. Ce sera donc un enfant de sept mois. Et alors, à quand la noce ?

FANNY

Quand vous voudrez.

PANISSE

Le plus tôt possible, à cause de l'enfant. Si on faisait ça dans la quinzaine ?

FANNY

Vous dites bien la vérité, Panisse ? Avez-vous bien réfléchi avant de dire oui ? Vous allez sauver ce petit bâtard ?

PANISSE

Fanny, puisque nous sommes d'accord, je vais te dire tout, et tu comprendras que je ne fais pas un sacrifice. Lorsque j'ai épousé ma pauvre Félicité, elle avait ton âge, et moi j'en avais guère plus. Nous avions acheté ce magasin en monnaie de papier, tu comprends ? En signant des traites à l'avance. Oh ! pas cher, bien sûr, à ce moment-là, le magasin ne valait pas grand-chose. Nous, nous avons eu d'abord une ouvrière, puis deux, puis cinq, puis dix, et comme ça, jusqu'à trente. Et l'argent rentrait bien. Et alors, au bout de sept ans, un beau soir, j'ai dit à ma femme : « O Félicité, tu vois comme notre magasin est beau ?...

— Oui, il est beau.

— Le commerce va très bien.

— Oui, il va très bien.

— Eh bien, écoute, Félicité, l'argent et le magasin, nous ne l'emporterons pas sous la terre.

— Bien sûr, qu'elle me dit.

— Et si nous faisions un petit ? »

Alors, elle devient toute rouge, peuchère, et elle se cache un peu la figure, et elle me fait : « Honoré, il y a longtemps que j'y pense, mais je n'osais pas t'en parler. » Mais alors, baste ! Ma pauvre Fanny, impossible de faire un enfant. Je ne te dirai pas tous les docteurs qu'on a vus, toutes les sources minérales, tous les cierges, tous les pèlerinages, toutes les gymnastiques suédoises... et je gaze, naturellement, je gaze... Mais voilà la vérité : pendant longtemps nous avions eu peur d'avoir un petit ; et puis, quand nous l'avons voulu, nous ne l'avons pas eu : nous avions dégoûté le bon Dieu. (Un temps.) Alors, une véritable folie m'a pris : la folie des enfants. Depuis ce moment-là, chaque fois que j'ai vu, dans la rue, un grand couillon avec un panama qui pousse une petite voiture, tu ne peux pas t'imaginer comme j'ai été jaloux. J'aurais voulu être à sa place, avoir cet air bête et ces gestes ridicules... J'aurais voulu faire : « Ainsi font, font, font... » C'était une grande souffrance... Et Félicité, je la regardais de travers — et pour la moindre des choses, nous nous disputions. Surtout à table. Je lui disais : « C'est bien la peine d'avoir un estomac comme deux monuments, et de ne pas pouvoir faire un enfant. » Et alors, elle me répondait : « Si tu n'avais pas tant bu de Picons et de

Rinçolettes, peut-être tu serais bon à quelque chose. »
Et enfin, petit à petit, nous nous sommes habitués à ce
désespoir. Mais le magasin ne nous intéressait plus du
tout. Nous n'avons vendu que l'article courant. Je n'ai
plus pris la peine de dessiner des voiles spéciales, selon
la personnalité et le tempérament de chaque bateau,
des voiles merveilleuses, des voiles signées de mon nom,
comme des peintures de musée... Et alors, pendant
que je jouais aux cartes, dans les cafés, comme un
imbécile, les autres en ont profité. Certains MM. Re-
nault, Dion-Bouton, Peugeot et *tutti quanti* se sont mis
à faire des moteurs, et voilà pourquoi notre beau
vieux port est tout empuanti de pétrole : c'est parce
que Félicité était stérile. Tout simplement. Et voilà
pourquoi ce magasin ne travaille plus comme autrefois;
c'est parce que je n'avais personne à nourrir. Mais
maintenant, Sainte Bonne Mère, ça change tout...
Une femme et un petit, à moi ?...

FANNY

Ah ! vous êtes bon, je vous remercie. Mais pensez-y
encore deux jours avant de me donner votre réponse.

PANISSE

Et pourquoi ? Tu recules déjà ? (Inquiet.) Tu attends
une lettre de Marius ?

FANNY

Je n'attends plus rien de personne, sauf de vous.
Mais je ne voudrais pas que vous engagiez votre parole
sur un mouvement de pitié.

PANISSE

Pitié ? Qué pitié ? Alors, tu n'as pas compris ce que je t'ai dit ? Fanny, je te jure que jamais un homme n'a fait une action aussi égoïste que moi en ce moment. JE ME FAIS PLAISIR, voilà la vérité. Ses enfants, bien entendu, il vaut mieux se les faire soi-même; mais quand on attrape la cinquantaine, qu'on n'est pas bien sûr de réussir, et qu'on en trouve un tout fait, eh bien, on se le prend sans avertir les populations. Je ne te pose qu'une condition, Fanny : c'est que tu ne dises à personne, même pas à ta mère, que tu me l'as dit. Comme ça, je pourrais prendre l'air que cet enfant est à moi devant tout le monde. Tu ne le diras pas ?

FANNY

Je ne dirai rien.

On frappe à la porte du magasin et on entend la voix de César.

CÉSAR

Oou, Panisse ! C'est comme ça que tu m'attends ?

PANISSE

Vouei, j'arrive.

FANNY, effrayée.

César ! Je ne veux pas le voir...

PANISSE

Tiens, passe dans la salle à manger, qui sera bientôt la tienne... Va faire connaissance avec notre grande pendule, et le beau vieux buffet de mon père... (César frappe à la porte avec violence. Panisse s'interrompt pour lui crier « Vouei ! J'arrive ! ») Mais fais bien attention, moi je ne sais rien... tu ne m'as rien dit. Je vais ouvrir à cette grosse brute, qu'il va me ruiner la devanture !

Fanny sort, Panisse va ouvrir.

SCÈNE VII

PANISSE, CÉSAR

PANISSE

Oou ! Ne casse pas les vitrines, sauvage !

CÉSAR

Et pourquoi tu t'enfermes, comme ça ? C'est pour compter tes sous, vieux grigou ?

PANISSE

Tout juste, vé — que si je les comptais devant toi, tu m'en volerais la moitié.

CÉSAR

Ou peut-être, c'est pour pincer le croupion à ta commise, qué, vieux chaspeur ?

PANISSE, digne.

Ce serait encore de mon âge si c'était dans mon caractère. Alors, tu viens pour me parler sérieusement ?

CÉSAR

Oui. Tu as cinq minutes ?

PANISSE

Tout l'après-midi si tu veux.

CÉSAR, solennel.

Et d'abord, une grave nouvelle, une nouvelle sinistre. M. Brun vient de se noyer.

PANISSE

Comment, comment ? Noyé-mort, ou noyé mouillé ?

CÉSAR

Mouillé, noyé et mort.

PANISSE, affolé.

César, mais qu'est-ce que tu me dis ?

CÉSAR

Je te dis que tu es un assassin.

PANISSE, sanglotant.

M. Brun ! Pauvre M. Brun ! Par ma faute ! Pour mille francs !

CÉSAR

Il est là-bas, étendu sur le quai. Et il a peut-être encore quelque chose qui bat : mais on ne sait pas si c'est son cœur ou si c'est sa montre.

PANISSE

Mais a ors, peut-être, il n'est pas mort ?

CÉSAR, il rit.

Mais non, il n'est pas mort ! Je te disais ça pour te faire peur ! Il a bu un coup, voilà tout ! Ne t'inquiète pas, Honoré, ne t'inquiète pas, et parlons sérieusement. Dis donc, je sais que, il y a quelque temps, tu avais demandé la main de Fanny à Honorine.

PANISSE

Oui.

CÉSAR

La petite t'avait dit non, à cause de Marius. Elle croyait que mon fils allait l'épouser tout de suite. Si je dis quelque chose qui n'est pas vrai, arrête-moi.

PANISSE

Bon, ça va, continue.

CÉSAR

La-dessus, mon fils est parti sur la mer. Il est parti — pour longtemps.

PANISSE

Oui. Et alors ?

CÉSAR

Alors, j'entends dire par-ci, par-là, et je le vois aussi par moi-même, car je n'ai pas les yeux dans ma poche et je connais bien le vieux lascar que tu es — j'entends répéter, dis-je, et je *vois*, que tu continues — discrète-ment — à faire la cour à la petite — et tu m'as tout l'air d'avoir l'intention de la demander encore une fois. Qu'y a-t-il de vrai là-dedans ?

PANISSE, très calme.

Pourquoi me demandes-tu ça ?

CÉSAR

Parce que ça m'intéresse beaucoup. C'est vrai, ou ce n'est pas vrai ?

PANISSE

César, quoique tu sois mon voisin et mon ami, je pourrais parfaitement te répondre que ça ne te regarde pas... et d'une !

CÉSAR

Ça ne me regarde pas ?

PANISSE

Pas du tout. Oh ! mais pas du tout. Seulement, comme ce que je fais est parfaitement honnête et que je n'ai rien à cacher, je préfère te le dire tout de suite. Oui, j'ai redemandé la main de la petite. Et cette fois, on ne me l'a pas refusée et nous allons fixer ce soir officiellement la date des noces.

CÉSAR

Tu en es déjà là ?

PANISSE

J'en suis même encore plus loin que ça, puisque je suis en mesure de fixer la date tout de suite. La chose aura lieu dans seize jours exactement : pas vendredi, l'autre, si tu veux des précisions.

CÉSAR

Eh bien, Panisse, ce mariage ne se fera pas.

PANISSE

Il ne se fera pas ?

CÉSAR

Non.

PANISSE, effrayé.

Pourquoi ? Ton fils revient ?

CÉSAR

Malheureusement non. Mon fils ne reviendra que dans vingt-six mois, quand il aura fini l'océanographique. Mais ce mariage ne se fera pas, parce que je ne veux pas.

PANISSE

Ah ! tiens ! Eh bien, tu es drôle, toi ! De quel droit tu ne veux pas ?

CÉSAR

Du droit que Fanny, c'est la femme de Marius. Il ne l'a pas épousée devant M. le Maire, mais ça, ce n'est qu'une formalité et nous la ferons quand il reviendra.

PANISSE

Et si la petite ne veut pas attendre ?

CÉSAR

Elle voudra, parce qu'elle l'aime.

PANISSE

Elle voudra si bien, qu'elle vient de me dire « oui ».

CÉSAR

Elle t'a dit « oui », à toi ?

PANISSE

Parfaitement, à moi.

CÉSAR, abasourdi.

La petite elle-même t'a dit « oui » ?

PANISSE

La petite elle-même m'a dit « oui », parlant à ma personne.

CÉSAR, abattu.

Alors, ça, je n'y comprends plus rien. Rien, rien. Ou plutôt, oui, je comprends très bien : tu l'as achetée à sa mère. Tu es allé voir cette vieille garce d'Honorine, et tu lui as promis une rente pour elle — et elle te l'a vendue, sa fille — vendue comme une petite négresse d'Afrique. Dis la vérité, — vieux négrier : c'est ça que tu as fait ?

PANISSE

Voyons, César, est-ce que tu crois qu'on peut acheter une fille si cette fille ne veut pas ? Surtout Fanny, avec le caractère qu'elle a ! Voyons, rends-toi compte !

CÉSAR

Je me rends compte que sa mère a dû lui monter le coup, lui dire qu'elle était déshonorée, et qu'il lui fallait un mari tout de suite, et elle te la jette dans les bras.

PANISSE

Mais non, pas du tout, pas du tout. C'est du roman.

CÉSAR

Voyons, Honoré. Tu sais que ce mariage serait un scandale, une énormité, une sinécure, une gabegie. Tu le sais bien que ce serait une gabegie.

PANISSE, perplexe.

Qu'est-ce que c'est une gabegie, d'après toi ?

CÉSAR

Ça veut dire quelque chose de criminel, de honteux, quelque chose qui ne va pas bien. Et d'ailleurs, je ne suis pas ici pour te donner des leçons de français, mais pour te rappeler à ton devoir. Si ces deux femmes sont folles, tu ne vas pas profiter de leur folie. Réponds-moi, Honoré. Est-ce que tu l'épouseras ?

PANISSE

Tout juste.

CÉSAR

Et pourquoi ?

PANISSE

Parce que tel est mon bon plaisir.

CÉSAR

O nom de Dieu !... (Il se maîtrise.) Ecoute, Panisse, ne nous disputons pas. Soyons calmes, causons comme deux vieux amis. Je sens que nous sommes sur le point de crier comme deux marchands de brousses, et qu'à la fin, je t'étranglerai une fois de plus. Bien calmes, bien posément.

PANISSE

Mais je veux bien, moi.

CÉSAR

Eh bien, permets à ton vieil ami de te dire que ce que tu veux faire, ce n'est pas joli, joli.

PANISSE

Qu'est-ce qui n'est pas joli, joli ?

CÉSAR

Qu'un homme vieux soit le mari d'une fillette. Ce n'est pas propre.

PANISSE

J'y ai pensé.

CÉSAR, avec un immense dégoût.

C'est tout à fait déplaisant. C'est une chose qui déplaît.

PANISSE, souriant.

Moi, ça ne me déplaît pas.

CÉSAR

Tu vois ! Tu viens de montrer le fond de ton idée ! Tu épouses Fanny parce qu'elle est jeune et que ça te ferait plaisir de frotter sa jolie peau fraîche contre ton vieux cuir de sanglier.

PANISSE

Mais non, mais non, ce n'est pas que pour ça.

CÉSAR

Ce n'est pas que pour ça, mais c'est un peu pour ça, tu viens de le dire. Eh bien, tu me dégoûtes. Je suis dégoûté.

Il regarde Panisse avec un immense dégoût.

PANISSE

Eh bien, c'est ton droit. Sois dégoûté ! Que veux-tu que j'y fasse ?

CÉSAR

Je veux que tu ne me dégoûtes pas. Je veux que dans ces circonstances graves et familiales, tu te conduises comme un gentilhomme provençal et non pas comme le dernier des margoulins.

PANISSE

Et si ça me plaît de me conduire comme le dernier des margoulins ?

CÉSAR

Si tu refuses de suivre les conseils de ton vieil ami, alors, je serai dans l'obligation, le jour de la noce, de t'attendre devant l'église !

PANISSE

A la sortie ?

CÉSAR

Non. A la rentrée.

PANISSE

Et qu'est-ce que tu me diras ?

CÉSAR

La première parole que je te dirai, ce sera un coup de marteau sur le crâne ! Et ensuite, je te saisis, je te secoue, je te piétine et je te disperse aux quatre coins des Bouches-du-Rhône.

PANISSE

C'est entendu. Moi, si tu me donnes le moindre coup de marteau, même avec un marteau d'horloger, je te fous deux coups de revolver et pas un revolver miniature : un rabattan.

Il sort du comptoir un énorme revolver d'ordonnance.

CÉSAR, ahuri.

Coquin de sort, il ne lui manque que deux roues pour faire un canon.

PANISSE, qui se monte peu à peu.

Écoute, César, il y a quarante ans que je te connais, et depuis quarante ans, tu te dis « mon vieil ami ». Mon vieil ami ! C'est mon vieil emmerdeur qu'il faudrait dire !

CÉSAR

Quoi ?

PANISSE

Depuis l'âge des chaussettes, tu m'empoisonnes, tu me tyrannises, tu me tortures, tu me supprimes ! A dix ans, tu m'empêchais de jouer aux jeux qui me plaisaient et tu me forçais de jouer aux tiens ! Pendant que je jouais aux billes avec d'autres et que je me régalais, toi, tu apparaissais tout d'un coup et tu criais : « Honoré, viens jouer à Sèbe ! » Et j'y allais, comme un mouton... Et ça me dégoûtait, de jouer à Sèbe. J'avais horreur de jouer à Sèbe... J'en ai tant souffert de ces amusements forcés, que, même maintenant, quand je vois des enfants qui jouent à Sèbe, je les disperse à coups de pied dans le cul.

CÉSAR

Mais qu'est-ce que c'est que cette histoire de Sèbe ? Est-ce que tu deviens fou ?

PANISSE, lancé.

Dans la rue, tu me forçais à porter ton cartable. Quand tu attrapais deux cents lignes, en classe, tu venais jusque chez moi pour m'obliger à les faire à ta place — et toi, pendant ce temps, tu me mangeais mes berlingots. Tu m'en as tellement fait, de misères, qu'à un moment donné, je les écrivais sur un petit carnet et je me disais : « Peut-être qu'en grandissant, un jour, je serai plus fort que lui — et alors, quelle ratatouille je lui foutrai ! » Malheureusement, c'est toi qui as grandi le premier...

CÉSAR, consterné.

Folie, folie de la persécution.

PANISSE

Et plus tard... quand j'ai connu Marie Frisette, et que j'en étais amoureux fou, et que je lui plaisais beaucoup — toi, tu as tout fait pour nous séparer — tout. Parce que tu étais jaloux !

CÉSAR

Moi, j'étais jaloux de Marie Frisette ? Mais, malheureux, elle était horrible à voir, Marie Frisette ! Elle était maigre comme une bicyclette, et elle louchait !

PANISSE

Elle n'était pas maigre, elle était mince et elle ne louchait pas, elle avait ce que l'on appelle une coquetterie dans l'œil.

CÉSAR

Et à part ça, elle était ravissante !

PANISSE

Mais ce n'est pas d'elle que tu étais jaloux : c'était de moi !

CÉSAR

Moi, j'étais jaloux de toi ? Mais qu'est-ce que tu insinues ?

PANISSE

Oui, de moi. Parce que, quand j'étais avec elle, tu perdais ton esclave... Voilà pourquoi tu nous as fâchés... Et cette tyrannie abominable, elle a duré plus de trente ans !

CÉSAR

Mais pourquoi m'as-tu supporté, puisque tu me détestais à ce point ?

PANISSE

Parce que tu as une grande gueule. Oui, tu as une grande gueule et rien d'autre ! Et maintenant, tu t'imagines que ça va continuer ? Tu as la prétention d'empêcher mon mariage ? Mais nom de Dieu, avec deux balles de ce revolver, je te la fais éclater, la coucourde !

> Il pose violemment le revolver sur le comptoir. Le coup part, la balle fait éclater la tête du scaphandre, qui s'effondre. Panisse est stupéfait, César reste calme.

CÉSAR

Tu as déjà tué l'escaphandre...

PANISSE, flageolant.

Que ça te serve de leçon, parce que moi, je te tuerai comme j'ai tué celui-là.

> Il va le ramasser.

CÉSAR

Pauvre marteau, va... Va boire un coup, que ce revolver t'a fait tellement peur que tu ne tiens plus sur

tes jambes !... Au fond j'ai bien tort de discuter avec un
agité de cette espèce. Ce n'est pas à lui qu'il faut que je
parle : lui, il ne comprend rien. C'est à la petite que je
vais parler et je te donne ma parole que ce mariage ne se
fera pas.

>   Il va sortir.

PANISSE, brusquement décidé.

Tu veux parler à la petite ? Eh bien, écoute, tu peux
lui parler tout de suite.

>   Il va ouvrir la porte et il appelle Fanny.

CÉSAR

Elle est ici ?

PANISSE

Fanny, César veut te parler !

>   Fanny entre.

SCÈNE VIII

LES MÊMES, FANNY

CÉSAR ,stupéfait.

Tu es ici ?

PANISSE

Fanny, César a la prétention d'empêcher notre mariage par tous les moyens, même par des violences illégales. Il pense avoir des droits sur toi et il affirme que tu lui appartiens parce que son fils t'a fait le grand honneur de t'abandonner. Dis-lui ta façon de penser.

CÉSAR

Attends, Fanny, ne réponds pas encore. Il te présente mal la chose parce qu'il est de mauvaise foi. Moi, je dis simplement que tu es la fiancée de Marius. Il t'a quittée momentanément, mais toi, tu attends qu'il revienne, parce que tu sais qu'il reviendra. Voilà, c'est tout simple. N'est-ce pas que j'ai raison ?...

FANNY

César, je ne peux pas l'attendre encore deux ans.

CÉSAR

Tu ne peux pas ?... Oui, tu languis, je le sais... Mais tu es bien forcée de l'attendre, puisque tu l'aimes !

FANNY

Oui, je l'aime. Panisse le sait ! Mais à cause de ma mère, à cause de ma famille, je ne peux plus attendre !

CÉSAR

Ça y est ! Ils lui ont monté le coup ! J'en étais sûr !

FANNY

Non, César, ma mère a raison. Vous, vous ne pouvez pas comprendre.

CÉSAR

Je comprends qu'à cause du qu'en-dira-t-on, elle veut te mettre au lit de Panisse. Mais qu'est-ce que ça peut nous faire, les commérages de quatre vieilles déplumées qui tricotent sur les portes ? Et ta mère ? Elle devient bien chatouilleuse, tout d'un coup ! Est-ce qu'on ne disait pas, autrefois, qu'elle était la maîtresse de ton père, avant leur mariage ? Et après ? Est-ce que ça les a empêchés d'être heureux ! Allons, dis à Panisse qu'on t'a effrayée : il est assez vieux pour comprendre la chose. Il te rend ton « oui », va. Et pour ta mère, moi, je vais lui expliquer.

FANNY

Non, César, non. Il me faut un mari.

CÉSAR

Et c'est toi qui dis ça ? Il te FAUT un mari ? Et tu accepteras le premier singe venu en chapeau melon pourvu qu'il t'épouse et qu'il ait de l'argent ?

FANNY

César, je l'attendrais dix ans si je pouvais l'attendre. Mais maintenant, je ne peux plus. Si Panisse veut encore de moi, je suis prête à l'épouser.

CÉSAR

Mais ce n'est pas possible, nom de Dieu ! C'est donc ça que tu mijotais tout le temps ! C'est donc pour ça que tu as fait partir Marius ! Car c'est toi qui l'as fait partir, tu me l'as dit toi-même... Et tu me disais : « Je l'ai fait pour son bonheur. » Et moi, je pleurais avec toi... Non, tu l'as fait partir pour t'en débarrasser. Et maintenant, tu sautes sur les sous de Panisse, et l'imbécile est tout content !

PANISSE

Allons, tu déparles, tu dis des bêtises !

CÉSAR

Va, tu es bien la nièce de ta tante Zoé ! Elle s'y entendait celle-là, pour faire danser les vieux pantins !

FANNY

César !

CÉSAR, *avec une douleur profonde.*

Tiens, je suis bien content que mon fils soit parti ! Il a eu raison. Il a très bien fait.

FANNY

César, je vous en supplie...

CÉSAR

Oui, prends ton air d'enfant martyre au moment où tu devrais rougir de honte. Tu n'as jamais aimé mon fils, et tu ne le méritais pas ! Ah ! je vais lui écrire, à mon petit ! Je vais lui expliquer la chose ! Et s'il avait gardé le moindre regret, je te garantis qu'il n'en aura plus.

Brusquement Panisse marche vers César. Il est pâle et tremblant de colère.

PANISSE

Est-ce que tu as fini d'insulter cette petite ? Est-ce que tu vas la fermer, ta gueule, grande brute ?

Il se jette sur César, qui vient à sa rencontre, les mains ouvertes. Fanny s'élance, et se met entre eux.

FANNY

Panisse ! (Les deux hommes s'arrêtent.) Panisse, dites-lui tout... Dites-lui tout...

PANISSE

S'il n'a pas encore compris, c'est qu'il est aussi bête que méchant.

CÉSAR

Compris quoi ?

FANNY

Panisse, dites-lui, dites-lui...

CÉSAR

Qu'est-ce qu'il y a ?

PANISSE

Eh bien, il y a que la petite Fanny se trouve dans une position qui n'est guère intéressante pour une jeune fille.

CÉSAR

Comment ? Comment ?

PANISSE

Et qu'il faut bien qu'il se trouve un brave homme pour réparer le crime de ton galapiat de navigateur !

CÉSAR

Un petit ? Tu portes un enfant de Marius ? (Rugissant.) Comment ! Elle va avoir un enfant, et tu veux me le prendre ?

PANISSE

Comment, te le prendre ?

CÉSAR

Mais il est mien ! C'est le petit de mon petit ! Et vous voulez me le voler ? (Hurlant.) Mais vous êtes fous, nom de Dieu ! Mon petit-fils ! Fanny, est-ce que tu y penses ?

FANNY

Je pense à ma mère et à ma famille.

CÉSAR

Je me fous de ta mère et de la famille. Ta famille, c'est Marius et ton petit, et moi. Quant à ce monsieur, qu'il se taise, il n'en est pas. Allons, viens à la maison.

FANNY

Non, non, César. Ecoutez-moi. Vous n'avez pas pensé à tout... Marius ne peut pas revenir avant deux ans et si j'ai un enfant sans avoir un mari, ma mère mourra de honte...

CÉSAR

Mais non, on ne meurt pas comme ça...

PANISSE

Tu connais Honorine... Tu sais comme elle a été malade lorsque sa sœur Zoé a mal tourné. Si sa fille est déshonorée, ça sera pire.

CÉSAR

Déshonorée ! Ah ! vaï, déshonorée !

FANNY

Mais oui, déshonorée... Je ne serai qu'une fille perdue et méprisée...

PANISSE

Dans trois mois, quand elle passera sur le port, on ne se gênera pas pour dire : « Tiens, la petite Fanny a attrapé le ballon ! » Ou bien « Ça doit être un moustic qui l'a piquée... »

FANNY

Et ma mère, à la poissonnerie, vous pensez ce que les autres vont lui dire !

CÉSAR

Mais puisqu'on saura que c'est l'enfant de Marius !

FANNY

Justement. Tout le monde sait bien que Marius est un honnête garçon et on pensera que s'il m'a quittée après une chose pareille, c'est qu'il y a une vilaine raison.

CÉSAR

Mais pourquoi ?

PANISSE

On dira : « S'il l'a quittée, c'est qu'il a vu qu'il n'était
pas **arrivé le premier.** » Ou alors « qu'il n'était pas sûr
que l'enfant soit de lui »... et on dira aussi : « D'ailleurs,
c'est l'habitude dans la famille. Il y a déjà eu sa tante
Zoé qui n'a jamais eu le temps de remettre ses panta-
lons... » Et voilà le calvaire que tu prétends imposer à
ces deux femmes ?

CÉSAR

Si elle ne devait jamais se marier, je ne dis pas non.
Mais d'abord, moi, je suis là pour les protéger et les
défendre. Et ensuite elle aura un mari dans deux ans.

PANISSE

Elle l'aura, ou elle ne l'aura pas. Admettons que ton
fils revienne. Es-tu sûr qu'il voudra épouser la petite ?

CÉSAR

Mais parfaitement, j'en suis sûr.

FANNY

Depuis qu'il est parti, il a écrit deux fois. Pas à moi, à
vous.

CÉSAR

C'est naturel. Mais il parle toujours de toi dans ses
lettres.

FANNY

Oui, comme d'une étrangère.

PANISSE

Et dans la lettre que tu as reçue tout à l'heure, est-ce qu'il en parle de la petite ? Non, il ne t'en parle pas.

CÉSAR

Qu'est-ce que tu en sais ?

PANISSE

S'il t'en parlait, tu l'aurais déjà dit. Est-ce qu'il te parle de son retour ? Non, il ne t'en parle pas. Allons, César, il s'agit de l'honneur et de la vie de Fanny. Sois de bonne foi. Dis la vérité.

CÉSAR

C'est la vérité, il ne parle pas beaucoup d'elle, cette fois-ci. Il lui envoie le bonjour.

PANISSE

Oh ! c'est bien gentil de sa part. (Fanny s'est levée. Elle va pleurer sur le comptoir.) Regarde comme ça lui fait plaisir à la petite. Ça règle tout : il t'envoie le bonjour.

CÉSAR, à Fanny.

C'est par ta faute qu'il est parti. Tu lui as fait croire que tu préférais l'argent de Panisse. C'est toi-même qui me l'as dit.

FANNY

Mais non, César... Je le lui ai dit, mais il ne l'a jamais cru vraiment... Il voulait une excuse, je la lui ai donnée, mais s'il avait voulu comprendre, il aurait compris...

CÉSAR

Mais quand il saura qu'il a un fils, il épousera la mère tout de suite... Ou alors, je lui casse la gueule.

PANISSE

Ça n'arrangerait rien. Et puis, là, nous parlons comme s'il revenait sûrement dans deux ans. Et déjà, nous ne sommes pas sûrs du mariage. Et s'il ne revient pas ?

CÉSAR

Comment s'il ne revient pas ? (Terrible.) Et tu oses penser à ça ?

PANISSE

Et toi, tu oses ne pas y penser ? Est-ce que c'est toi, par hasard, qui fabriques les tempêtes, les typhons, les tornades et les cyclones ? Est-ce que c'est toi qui les lâches sur la mer quand ça te fait plaisir ? Et si son bateau sombrait ? Voyons, César, peux-tu nous jurer que tu es sûr que ton fils reviendra et qu'il épousera la petite ?

CÉSAR

Honoré, il y a huit chances sur dix pour que ce mariage se fasse — mettons sept chances sur dix.

PANISSE

Mettons six, ou même cinq.

FANNY

Et il en reste beaucoup pour que la vie de cet enfant soit gâchée.

PANISSE

Maintenant, personne ne le sait et n'importe qui peut épouser Fanny et donner son nom au petit sans être ridicule.

FANNY

Mais quand il sera né ? Qu'est-ce que ça sera ?

PANISSE

Un petit bastardon, rien de plus.

CÉSAR

C'est vrai, ça, c'est vrai...

FANNY

Et plus tard, à l'école, ses petits amis lui diraient : « Moi, mon père est mécanicien ou boulanger. Et le tien, qu'est-ce qu'il fait ? » Et le pauvre petit deviendra tout rouge et il dira : « Moi ? J'en ai pas. »

CÉSAR, pâle.

Oh ! bon Dieu !

FANNY

J'ai pensé longtemps à toutes ces choses. Je pense à ma mère, je pense à l'enfant, à toute ma famille... Il vaut mieux que je devienne Mme Panisse, et tout le monde sera content, même Marius.

CÉSAR, faiblement.

Mais non, mais non...

PANISSE, vivement.

D'abord, si j'épouse la petite, cet enfant aura un père, et un nom. Il s'appellera Panisse.

CÉSAR

Si par hasard il s'appelait Panisse, en tout cas, il s'appellerait Marius Panisse. César-Marius Panisse.

PANISSE

Ça, si tu veux, puisque tu serais le parrain. Comme ça, tu ne le perdrais pas, tu t'occuperais de lui tant que tu voudrais. De plus, il serait riche. Il y a une chose que personne ne sait, parce que j'en ai un peu honte. D'habitude, au café, quand on parle de la fortune des uns et des autres, moi, je dis toujours que j'ai six cent mille francs. Eh bien, c'est pas vrai, César, j'en ai plus du double.

CÉSAR

Toi ? Mais tu es millionnaire ?

PANISSE

Plus la valeur du magasin, ce qui fait un million et demi. Fanny elle-même ne le savait pas. Maintenant, je le dis, parce que c'est utile à la conversation.

CÉSAR

Et tu laisserais tout ça au petit ?

PANISSE

Naturellement, puisque c'est mon fils.

CÉSAR

Et moi si je lui laissais le bar ? Ajouté à toi, ça ne ferait pas loin de deux millions... Fanny, ce garçon, à vingt ans, il pourra fumer des cigares comme le bras !

PANISSE

Si ce n'est pas une fille.

CÉSAR, scandalisé.

Une fille ? Qu'est-ce que tu vas chercher ? O porte-malheur !

Entre Honorine, suivie de Claudine.

SCÈNE IX

LES MÊMES, plus HONORINE, CLAUDINE

HONORINE

Alors, il faudra que je passe ma vie à te chercher ?

PANISSE

Elle n'est pas en danger, Norine, quand elle est ici !
Té, bonjour, Claudine, vous allez bien ?

CLAUDINE

Mes jambes me portent plus, vé ! Il faut que je
m'assoie !...

HONORINE

Alors ? Vous faisiez la conversation avec César ?

CÉSAR

Eh oui, nous parlions. Ils viennent de m'annoncer la
nouvelle...

HONORINE

Quelle nouvelle ?

CÉSAR

Qu'ils vont probablement se marier dans une quinzaine.

HONORINE, à Fanny.

C'est vrai ?

FANNY

Oui, c'est vrai.

PANISSE

La petite vient de me dire qu'elle consent.

CLAUDINE

Bravo ! Honoré ! Oh ! ce coquin, il a toujours eu de la chance !

CÉSAR

Allons, Noré, maintenant, fais la bise à ta tante !

PANISSE

Quelle tante ?

CÉSAR

Mais voilà ta tante, et voilà ta mère !

CLAUDINE

Mon Dieu de ce César !...

HONORINE, bas à Fanny.

Tu lui as dit ?

FANNY

Non.

HONORINE

Tu as bien fait. Il n'aurait pas voulu.

CÉSAR

Au fond, toute la famille est réunie. Il n'y a que moi qui n'en suis pas. Mais peut-être un jour, j'en serai.

HONORINE

Dites, vous avez l'intention de m'épouser, peut-être ?

CÉSAR

Ça, c'est encore possible : mais surtout, s'ils ont des enfants, c'est moi qui serai le parrain. Pas vrai, Panisse ?

PANISSE

C'est juré, ça, César, mais attends au moins que le premier soit commencé.

HONORINE, à César.

Vous croyez, vous, qu'ils auront des enfants ?

CÉSAR

Mais certainement, qu'ils en auront !

CLAUDINE

Pourquoi pas ? Ce Panisse est tellement coquin. Peut-être ils en auront une demi-douzaine !

HONORINE, à Panisse.

Ça vous étonnerait, vous, d'avoir des enfants ?

PANISSE

Une demi-douzaine, ça m'étonnerait. Ça m'inquiéterait même !... Mais un ? Ça ne m'étonnerait pas du tout !

CÉSAR

Je vous dirai même qu'il y compte !...

RIDEAU

7

ACTE III

La salle à manger chez Panisse.

C'est une vaste salle meublée de vieux meubles provençaux : pétrin, huche, buffet, haute pendule, éclairés par des cruches de cuivre très anciennes et des pots d'étain.

Sous la vieille suspension, transformée en lustre électrique, une grande table de chêne.

SCÈNE PREMIÈRE

FANNY, RICHARD, puis HONORINE

Sous la lampe, Fanny est assise en face de Richard, le vieux comptable
de l'atelier. Elle porte un déshabillé bleu. Richard a son pardessus,
sur la tête une calotte noire. Sur la table, à côté de lui, un chapeau
melon. Tous deux ont ouvert devant eux un grand registre à couver-
ture de lustrine. Fanny lit à haute voix. Richard suit sur son registre
et pointe à mesure.

FANNY

Comment se fait-il que le compte Lambert frères soit
débiteur de 7.832 francs ?

RICHARD

Ils nous ont payé 47.000 francs sur la facture. La
différence est couverte par une traite à 30 jours de fin de
mois.

FANNY

Vous l'avez mise en banque ?

RICHARD

Non, madame, je vais la mettre en banque cinq ou
six jours avant l'échéance pour éviter des frais d'agio ou
d'escompte.

Entre Honorine.

HONORINE

Ça y est, il dort.

FANNY

Il est bien ?

HONORINE

Il est un peu chaud, mais c'est sa dent qui le travaille. Ce n'est rien. Alors, c'était joli, *La Juive* ?

FANNY

Oui, c'était bien. Honoré m'a présentée à Monsieur le Maire.

HONORINE

Moun Diou ! Monsieur le Maire ! — Té, si cela ne te dérange pas, je vais me faire un peu de musique, mais bien doucement.

> Elle va à l'appareil de T.S.F., elle met la prise de courant, elle tourne les boutons. Une musique assez forte retentit.

FANNY

C'est trop fort. Tu vas le réveiller.

HONORINE

Attends.

> Elle tourne un bouton, la musique devient de plus en plus forte. Elle tourne en hâte un autre bouton, le haut-parleur rugit. Fanny se lève et coupe le courant.

HONORINE

Qu'est-ce que tu veux ? Cet appareil c'est un sauvage.
Il ne fait que ce qu'il veut !

FANNY

Prends ton casque, va, comme ça tout le monde est
tranquille.

HONORINE, elle se met le casque sur la tête.

Oui, c'est moins joli, mais c'est plus silencieux.

Elle s'installe. Fanny reprend ses comptes.

RICHARD

D'ailleurs, madame, nous n'avons pas besoin de
l'argent de Lambert frères. La situation est saine. Nous
avons un disponible immédiat de 140.972,75 plus :
64.751,75 qui seront rentrés pour le mois prochain,
sans parler de la valeur du stock. Tout va bien.

FANNY

Oui, tout va bien. Vous pouvez aller dormir, Richard.

RICHARD

Merci, madame.

Il met son chapeau melon sur sa calotte.

Il n'y a rien à dire à l'atelier, demain matin ?

FANNY

Faites commencer les voiles de course pour *Obéron*. Nous sommes d'accord pour les prix. Voici les échantillons.

Elle lui donne plusieurs morceaux d'étoffe.

SCÈNE II

FANNY, HONORINE

Après la sortie de Richard, Fanny continue ses calculs. Soudain Honorine, le casque sur la tête, perdue dans une extase, se met à chanter avec la musique une vieille valse. Fanny l'arrête.

FANNY

Maman !

Honorine n'entend rien et continue. Fanny se lève et va la tirer par le bras.

HONORINE

Quoi ?

FANNY

Tu vas finir par le réveiller !

HONORINE

Té, je crois que je ferais mieux d'aller me coucher ! (Elle ôte son casque, elle se prépare à sortir.) Dis donc, j'ai reçu une lettre de Zoé.

FANNY

Quand ?

HONORINE

Ce matin. Elle est à Bourges, là-haut, dans les brumes du Nord. Elle me dit qu'elle est très riche. Elle a su que tu avais un enfant et alors elle pense que c'est une occasion pour nous réconcilier.

FANNY

Pourquoi pas ?

HONORINE

Elle dit qu'elle est tout à fait rangée, et tout ce qu'il y a de bien avec les curés. Elle est la marraine des pénitents noirs et elle brode des nappes d'autel. Tu te rends compte ? Des nappes d'autel ! D'hôtels meublés, oui !

FANNY

Elle l'embrasse sur le front.

Si le petit avait quelque chose cette nuit, n'aie pas peur de me réveiller.

HONORINE

Naturellement, mais il n'aura rien. S'il est un peu chaud, un peu fiévreux, depuis trois jours, ne t'inquiète pas. Ce sont les dents qui le travaillent. Il a une grosse molaire, qu'on ne la voit pas, mais qu'on la sent avec le doigt. Té, bonsoir, petite.

FANNY

Bonsoir, maman.

Honorine sort.

SCÈNE III

FANNY, puis MARIUS

Fanny reste seule. Elle renferme les registres dans le coffre. Puis, elle prend un livre, elle s'assoit, elle lit. Au-dehors, sur le quai, des matelots chantent. De temps à autre, on entend passer, devant la fenêtre, des gens qui parlent entre eux, qui rient, qui courent. Soudain, la fenêtre s'ouvre doucement. Fanny lève la tête.

FANNY

Qu'est-ce que c'est ?

MARIUS

C'est moi, Fanny... N'aie pas peur... C'est Marius...

FANNY

elle fait un pas en arrière, elle éclaire d'un seul coup la suspension.

Marius ! C'est toi ?

Elle est toute pâle, mais elle sourit.

MARIUS, toujours à la fenêtre.

Oui, je suis revenu cette nuit... J'ai vu mon père... Et puis, j'ai eu envie de te parler... Enfin, de te dire bonsoir...

FANNY

Tu es seul ?

MARIUS

Oui, je m'étais couché et puis, je n'ai pas pu dormir...
Alors, je suis parti par la fenêtre, comme quand j'étais
un petit jeune homme... Il y a un bon moment que je te
regarde à travers les volets.

FANNY

Entre donc... je vais t'ouvrir la porte...

MARIUS

Oh ! pas la peine !
Il saute à l'intérieur, par la fenêtre.

FANNY

Assieds-toi. Tu vas bien boire un petit verre de
quelque chose ?

MARIUS

Volontiers. (Fanny sort du buffet un verre et une bouteille.)
Et ton mari, il ne boira pas avec nous ?

FANNY

Non. Il est couché. Il se lève de bonne heure chaque
matin, pour son travail. Tu es revenu pour toujours ?

MARIUS

En principe, je dois repartir demain matin, c'est-à-dire dans deux heures. Je dis en principe, parce que si je voulais rester, je pourrais.

FANNY

Ton bateau est revenu ?

MARIUS

Non, il est à Sydney. Nous avons eu des avaries assez graves. Alors, on l'a mis en cale sèche, et là, nous avons rencontré un contre-torpilleur français, qui rentrait. Alors, comme il y avait des appareils océanographiques à réparer, on les a mis sur le contre-torpilleur, avec trois hommes pour les convoyer. (Il se donne dé l'importance.) Tu comprends, ces appareils, on ne peut pas les réparer n'importe où. Il faut les ramener à ceux qui les ont faits. Parce que ça, c'est de la précision. C'est scientifique... Scientifique... Un pastis terrible, quoi ! Et moi, j'ai fait partie de la mission, parce que j'ai demandé. Je me languissais...

FANNY

Tu te languissais de revoir ton père ?

MARIUS

Oui, mon père et Marseille, et tout le monde, quoi. Tout le monde. Mais si je voulais, je pourrais rester, parce que ça me serait très facile de trouver un permutant.

FANNY

Qu'est-ce que c'est, un permutant ?

MARIUS

Quelqu'un qui change sa place pour la mienne. Il y en a beaucoup qui voudraient, parce que sur *La-Malaisie*, nous avons une solde très élevée, et le service n'est pas pénible... Tiens, ici je connais Chauveau, qui est à bord, sur l'*Ile-de-Beauté*, le service de la Corse. Il m'a écrit souvent et moi, je lui répondais. Eh bien, il partirait tout de suite, et ça pourrait s'arranger en huit jours. Il a cette envie, lui. Tu sais ! Cette envie du loin.

FANNY

Et toi, tu ne l'as plus, maintenant ?

MARIUS

On ne peut pas dire que je ne l'ai plus. Mais les envies, tu sais, c'est toujours pareil, dès qu'on a ce qu'on voulait, on se demande un peu pourquoi on l'a voulu si fort !

FANNY

Alors, tu n'es pas heureux sur la mer ?

MARIUS

On est toujours heureux quand on est là où on a voulu aller. Et si on disait qu'on est malheureux, ça

voudrait dire qu'on a été bien bête, pas vrai ? Je suis
très heureux, au contraire. Et toi, tu es heureuse ?

FANNY

Mais oui. J'ai un bon mari.

MARIUS

Et une belle maison.

FANNY

Oui, une belle maison.

MARIUS

Une belle maison et un bel enfant.

FANNY

Oui, un bel enfant. C'est ton père qui te l'a dit ?

MARIUS

Oui, il vient de me le dire. Ça m'étonne qu'il ne me
l'ait pas écrit plus tôt.

FANNY

Et puis, qu'est-ce qu'il t'a dit encore ?

MARIUS

Qu'il était le parrain, et qu'à cause de ça le petit
s'appelait Marius-César.

FANNY

Oui, c'est ton père qui nous l'a demandé.

MARIUS

Ça me fait plaisir.

FANNY

Et puis, qu'est-ce qu'il t'a encore dit, ton père ?

MARIUS

A propos de quoi ?

FANNY

A propos de mon fils.

MARIUS

Qu'est-ce que tu voulais qu'il me dise de plus ?

FANNY

Je ne sais pas, moi.

MARIUS

Ah ! oui, comme c'est ton fils, tu crois que c'est la merveille du monde et qu'on ne peut pas s'arrêter de parler de lui !

FANNY

Mais bien sûr que c'est la merveille du monde ! Il commence à marcher, maintenant. Il marche presque tout seul.

MARIUS

Déjà ? Mon père m'a dit qu'il avait huit mois. Ça marche, les enfants, à huit mois ?

FANNY

Il a un peu plus de huit mois... Et puis, il est très précoce.

MARIUS

En somme, tu es très heureuse. Et Panisse, aussi, doit être heureux.

FANNY

Je crois qu'il est très heureux.

MARIUS

Alors, tout est pour le mieux. Pas vrai ? Ça me fait plaisir de te voir si contente et en si bonne santé.

FANNY

Toi aussi, tu te portes bien.

MARIUS

Moi, c'est l'air de la mer.

FANNY

Et moi, c'est ma vie tranquille.

MARIUS

Ta vie tranquille et ton bonheur.

FANNY

Oui. Ma vie tranquille et mon bonheur.

MARIUS

Alors, au revoir, ma petite Fanny.

FANNY

Au revoir, Marius. En revenant de Paris, pour t'embarquer, tu repasseras par ici ?

MARIUS

Non, nous repartons là-bas par un bateau anglais. *L'Australia.* Un paquebot. C'est bien, les bateaux anglais. C'est propre... Ça marche. Alors, fais bien mes amitiés à ton mari, et dis-lui que je n'ai pas voulu le réveiller pour ne pas le déranger.

FANNY

Je le lui dirai.

MARIUS

Alors, au revoir.

FANNY

Au revoir, Marius.

> Pendant les dernières répliques, on a entendu deux voix qui chantent la chanson de la cousteleto. Le timbre de la porte de la rue sonne violemment.

FANNY

Qu'est-ce que c'est ?

> Marius se retire dans un coin. Fanny ne bouge pas. Le timbre
> sonne encore une fois. Puis la fenêtre s'ouvre, et l'on voit
> paraître le chauffeur d'Escartefigue, coiffé d'un chapeau
> melon défoncé. Il est visiblement ivre.

LE CHAUFFEUR

Mme Panisse ! Ouvrez donc à mon amiral ! Il a quelque chose pour vous. A mangea, a mangea, a mangea la cousteleto !

> Le chauffeur ne peut pas voir Marius. Fanny ouvre la porte en
> tirant sur le levier. Puis, il ouvre la porte de la salle à manger.
> Escartefigue paraît, mais elle ne le laisse pas entrer. Il est ivre
> et tient à la main un bouquet de fleurs.

SCÈNE IV

LES MÊMES, LE CHAUFFEUR, ESCARTEFIGUE

ESCARTEFIGUE

Chère madame Panisse, je t'apporte ce bouquet de fleurs de la part de ton mari. Et je vais t'expliquer comment ça s'est passé. Comme je sortais du buffet de la gare, où nous venions d'assister au banquet du personnel ferroviaire, je vis soudain maître Panisse sauter légèrement d'une voiture automobile, avec sa valise à la main. A ce moment précis, une femme assez mal vêtue lui fit l'offre de ces fleurs modestes, mais embaumées. Et alors, il me dit poliment : « Grand couillon, porte ce bouquet à ma femme, si tu vois encore de la lumière à sa fenêtre ». Et voilà, c'est fait !

FANNY

Merci.

LE CHAUFFEUR

Honneur à la plus belle !

ESCARTEFIGUE

A l'heure qu'il est, le rapide est parti. Et M. Panisse s'en va-t-à-Paris. C'est un long voyage. Que Dieu le protège, notre maître-voilier ! Moi, personnellement, j'aime beaucoup à donner mon opinion sur les affaires qui ne me regardent pas : attends, tu vas voir. Je n'approuve pas du tout cette affaire de moteurs à pétrole. J'aime bien mieux ma machine à vapeur. En veux-tu une preuve ?

LE CHAUFFEUR

Oui !

ESCARTEFIGUE

Attends, tu vas voir : si M. Hispano-Suiza (écoute bien ce que je te dis). Si M. Hispano-Suiza, par un geste sportif, par une fantaisie amicale, m'offrait un de ses grands moteurs entièrement nickelés (fais bien attention) pour le mettre sur mon fériboite, je lui dirais : (Il ôte sa casquette.) Monsieur Suiza, j'apprécie la délicatesse du procédé. Mais — ne vous fâchez pas — je refuse. Et pourquoi ? me direz-vous !

LE CHAUFFEUR

Oui, pourquoi ?

ESCARTEFIGUE

Parce que votre pétrole : ratatatata, ça pète ! Tandis que ma vapeur, flouff tchii, flouff tchii, ça pousse... Flouff tchii...

Il sort en continuant ses flouff tchii. On entend fermer la porte. Il s'éloigne avec le chauffeur, en chantant à tue-tête la chanson de la cousteleto.

SCÈNE V

MARIUS, FANNY

Marius sort de l'encoignure. Il s'avance vers Fanny.

MARIUS

C'est vrai que ton mari est parti ?

FANNY

Oui.

MARIUS

Pourquoi ne me l'as-tu pas dit ? (Fanny ne répond pas. Il veut s'approcher d'elle. Elle s'écarte et, à partir de ce moment, elle va manœuvrer pour que la table soit toujours entre eux.) Tu as peur de moi ?

FANNY

Non, Marius, je n'ai pas peur de toi.

MARIUS

Pourquoi ne m'as-tu pas écrit ?

FANNY

Et toi ?

MARIUS

Moi, je t'ai écrit cinq ou six lettres ; mais je les ai toutes déchirées au moment de te les envoyer.

FANNY

Pourquoi ?

MARIUS

Je ne voulais pas gêner ton mariage avec Panisse.

FANNY

Tu y croyais, toi, à ce mariage ?

MARIUS

C'est toi qui m'avais dit : « Je préfère Panisse. » Et sur le moment je l'ai cru.

FANNY

Parce que tu avais envie de le croire.

MARIUS

Après, j'ai eu des doutes. J'ai pensé : « Peut-être elle m'a dit ça pour me rendre ma liberté. Peut-être je l'ai cru trop vite parce que ça m'arrangeait de le croire... » Mais, malgré tous ces doutes, ce mariage s'est fait. Et ça n'a pas traîné : six semaines après mon départ. Est-ce que tu ne pouvais pas m'attendre ?

FANNY

Va, Marius, tout ce que nous pourrions dire maintenant, ça ne peut plus servir à rien. Va-t'en, va. Ne remuons pas le passé.

MARIUS

Il n'y a pas besoin de le remuer. Il bouge bien assez tout seul. Ecoute, peut-être tu as raison. Tu as une maison, un mari, une famille, il vaut mieux que je m'en aille. Mais avant, il faut que je te pose plusieurs questions : comme ça, je pourrai partir tranquille.

FANNY

A quoi ça peut te servir de poser des questions ?

MARIUS

Pourquoi t'es-tu mariée si vite avec Panisse ? (Elle se tait.) Pourquoi mon père ne m'a pas écrit que tu avais un fils ? Comment ça se fait que Panisse, qui n'a jamais pu avoir d'enfant avec sa première femme, soit devenu père à plus de cinquante ans ?

FANNY

Je ne sais pas. Va-t'en, Marius.

MARIUS

Comment se fait-il que cet enfant soit né moins de sept mois après ton mariage ?

FANNY

Comment le sais-tu ?

MARIUS

Là, derrière, j'ai vu une boîte de dragées d'un baptême. Il y a écrit dessus, en lettres d'or, Marius. Et il y a la date du baptême et la date de naissance.

FANNY

C'eſt vrai. Il eſt né très en avance... Ce sont des choses qui arrivent, Marius.

MARIUS

Oui, ce sont des choses qui arrivent, mais alors pourquoi, tout à l'heure, m'as-tu dit qu'il avait huit mois ? Ce n'eſt pas vrai, il en a dix. Mais tu voulais m'empêcher d'avoir des idées.

FANNY

Va-t'en, Marius. A quoi ça sert, maintenant ?

MARIUS

Ou bien cet enfant eſt le fils de Panisse — et tu étais

déjà sa maîtresse avant mon départ — ou bien il est mien. Il n'y a que ces deux solutions.

FANNY

Peut-être. Mais il y en a deux.

MARIUS

Alors, toi, tu étais la maîtresse de Panisse ? Allons donc ! Maintenant, je suis sûr que je sais la vérité, Fanny. Cet enfant est mien, et je suis un criminel.

FANNY

Non, tu n'es pas un criminel. Ce n'est pas de ta faute.

MARIUS

Alors, c'est vrai ?

FANNY

Qu'est-ce que cela peut faire, maintenant ?

MARIUS

Pourquoi ne me l'as-tu pas dit, au lieu de me faire partir ?

FANNY

Je ne savais pas. Je n'y pensais pas... Je n'étais pas très bien quand tu es parti. Mais je croyais que c'était l'énervement, le chagrin... Je n'ai su qu'après...

MARIUS

Pourquoi ne m'as-tu pas écrit ?

FANNY

Tu étais parti pour deux ans. Alors, à cause de ma mère, j'ai tout dit à Honoré. Et il m'a prise comme j'étais.

MARIUS

Fanny... ma petite Fanny... Pardonne-moi... Je t'en supplie, pardonne-moi...

FANNY

Va, il y a longtemps que je t'ai pardonné, parce que tu n'avais pas compris mon amour...

MARIUS

Ni le mien. Je ne savais pas comme je t'aimais. Quand je suis parti pour *La-Malaisie*, j'étais heureux...

FANNY

Je sais, j'ai lu tes premières lettres.

MARIUS

Je ne pensais pas très souvent à toi. Pour moi, c'était

une chose réglée, finie... Et puis, petit à petit, ça m'a commencé. Ça me venait surtout le soir, dans mon hamac. Je pensais à toi.

FANNY

Tais-toi, Marius...

MARIUS

A ce moment, j'ai commencé à croire que j'avais fait une bêtise. Mais je me disais : « C'est la fin... C'est un petit restant d'amour... Ça va te passer. » Et puis, non. Ça ne s'est pas passé. Au contraire. A mesure qu'on entrait dans les mers du Sud, c'est devenu de plus en plus pire. Dès que je fermais les yeux, ça me reprenait. Je te voyais derrière tes coquillages, sous tes grands chapeaux de paille frangée... Je te voyais marcher le long des quais, j'entendais claquer tes petits sabots, je sentais l'odeur de tes joues...

FANNY

Non, Marius, ce n'est pas bien, il ne faut pas... Puisque c'est trop tard maintenant, ne dis rien...

MARIUS

Je te voyais partout, partout. Et puis, un jour, juste au large des Carolines, comme nous relevions des récifs de corail, il m'est arrivé une chose terrible, je n'ai pas pu penser à toi : j'avais oublié ta figure. Je te cherchais, je ne te trouvais plus. Je me prenais la tête dans les mains, je fermais les yeux de toutes mes forces; je voyais du noir, je t'avais perdue. Alors, je suis devenu comme fou — et j'ai vite écrit à mon père pour qu'il m'envoie une photographie de toi. Mais comme j'allais lui envoyer ma lettre, en arrivant à Tahiti, j'ai trouvé le courrier de France — mon père m'envoyait une photographie : la photographie de ta noce. Tu étais mariée depuis un mois. Alors, comme je ne savais pas pourquoi, j'ai pleuré.

FANNY

Moi aussi, j'ai pleuré, Marius.

MARIUS

Si je suis revenu, c'est pour te revoir. Je pensais que peut-être tu n'aimais pas Panisse, que peut-être tu pensais toujours à moi... Et maintenant, je vois que j'avais raison, je vois que tu m'aimes toujours... Fanny... (Il la prend dans ses bras, elle met la tête sur son épaule. Il essaie de lui relever la tête pour l'embrasser.) Fanny, laisse-moi t'embrasser... Fanny, il y a deux ans que j'en ai envie...

FANNY

Non, Marius, ce n'est pas bien... C'est malhonnête, Marius...

Il l'embrasse passionnément. Elle ne dit plus rien. Elle s'abandonne. Soudain, la porte s'ouvre. Entre César.

SCÈNE VI

LES MÊMES, CÉSAR

CÉSAR

Non, Marius... Non, non, mes enfants... Pas de ça, ici... Il est brave, Panisse, il n'est pas là. Ne le rendez pas ridicule devant les meubles de la famille... Ça ne serait pas joli. Bonsoir, Fanny. (Un temps.) Alors, tu l'as vu, le fada ? (Il montre Marius.) Je ne te demande pas si ça t'a fait une impression : je m'en rends compte. Hum.

MARIUS, agressif.

Qui t'a dit que j'étais ici ?

CÉSAR

Comme toujours, mon petit doigt. Quand tu es allé te coucher, moi, je suis monté dans ma chambre, mais tu penses bien que je ne me suis pas endormi. Je t'écoutais à travers le plafond, je t'ai entendu t'asseoir sur le lit. Mais je n'ai pas entendu tomber tes souliers. Alors, je me suis dit : « Il est tellement fatigué, qu'il s'est endormi tout habillé. Peut-être je devrais descendre pour lui enlever au moins son col. » Je descends, j'écoute à la porte. Silence. Alors, tout d'un coup, il me vient une peur imbécile, comme quand tu étais petit : « Il ne respire plus, il est mort ! » Je suis entré et j'ai compris tout de suite : « Il m'a refait le coup de sauter par la fenêtre, pour courir chez une demoiselle ! » Et ça n'était pas difficile de savoir où tu étais allé.

MARIUS, brusquement.

Pourquoi ne m'as-tu pas dit que cet enfant était de moi ?

CÉSAR, démonté.

Cet enfant ? Quel enfant ?

FANNY

Je lui ai tout dit.

CÉSAR

Tu n'as peut-être pas bien fait.

MARIUS

Et pourquoi ? Dans quel but veux-tu me cacher que j'ai des droits sur elle et sur son enfant ?

CÉSAR

Des droits ? Je ne sais pas si tu as des droits ?

MARIUS

Ecoute, papa. Je t'aime bien, mais, en ce moment, je te prie de me foutre la paix.

CÉSAR, avec une tendresse amère.

Tu as bien dit ça, Marius. Ça prouve que maintenant tu as de la barbe au menton, tu es un homme, puisque tu ne respectes plus ton père. C'est normal. Mais maintenant, viens avec moi. En l'absence de son mari, tu n'as rien à faire chez madame Honoré Panisse. Viens.

MARIUS

Non, je ne m'en vais pas. Je reste.

CÉSAR

Non, tu ne restes pas. Tu viens avec ton père. Panisse a fait tout ce qu'il devait faire. Il a recueilli ta femme, il a donné son nom à ton fils. Et pendant qu'il est en voyage pour assurer l'avenir de ton enfant, toi tu viens dans la nuit pour essayer de lui voler sa femme ? Marius, il y a eu de tout dans notre famille : des corsaires, des douaniers, des contrebandiers, des imbéciles, et même des vulgaires mastroquets comme ton père, mais il n'y a jamais eu de saligauds. Puisque tu restes, moi, je reste aussi.

MARIUS

Ecoute, papa. Il y a bien des choses que tu ne sais pas, et qu'il faut que je t'explique.

CÉSAR

Ce n'est pas à moi qu'il faut expliquer.

FANNY

Ton père a raison, Marius... (Elle s'interrompt, elle tend l'oreille. On vient d'ouvrir la porte de la rue. On entend un pas dans le vestibule.) Mon mari !

Un temps. Ils se taisent et se regardent, gênés.

SCÈNE VII

LES MÊMES, PANISSE

Panisse, dans le vestibule, où il quitte son manteau et son chapeau, parle, invisible, à sa femme.

PANISSE

C'est moi, Fanny. Tu travailles encore à ces heures-ci !

FANNY

Tu as manqué le train ?

PANISSE

Non, mais figure-toi que comme j'allais monter dans mon sleeping, je rencontre le docteur Cigalon. Et il me dit, à brûle-pourpoint... (Il est entré sur les derniers mots. Il voit Marius. Il s'arrête, étonné et troublé, à la vue de Marius. Il se domine vite, et sourit.) Tiens !

FANNY

Tu vois, nous avons des visites !

PANISSE, qui sourit.

Marius ! Bonsoir, Marius.

MARIUS

Bonsoir, maître Panisse.

PANISSE

Te voilà de retour, maintenant ?

CÉSAR, rassurant.

Il est de passage, seulement. Une sorte de permission très courte.

PANISSE

Tu es superbe dans cet uniforme... Tu es plus grand, plus fort... Tu as changé... N'est-ce pas, Fanny, qu'il a changé ?

FANNY

C'est vrai... On le reconnaît à peine.

MARIUS

Vous aussi, vous avez changé.

CÉSAR

Je le lui disais encore ce soir; il a rajeuni de vingt ans ! (A Panisse.) Et alors, finalement, qu'est-ce qui s'est passé à la gare, que tu n'as pas pris le train ?

PANISSE

Eh bien, figure-toi que je rencontre le docteur Cigalon, et qu'il me dit que le petit de Miette a une coqueluche terrible depuis dix jours. On craint même pour sa vie !

CÉSAR

Pauvre pitchounet !

PANISSE, indigné.

Oui, pauvre petit, naturellement. Mais qu'est-ce que tu penses de sa mère qui ne nous a rien dit et qui vient chez nous presque tous les jours ?

FANNY

Et qui m'emprunte les jouets du petit, et qui me les rapporte le lendemain ? Tiens, elle a rapporté cette poupée ce matin !

CÉSAR

Coquin de sort ! Et la coqueluche, ça s'attrape rien qu'en regardant ! C'est une espèce de microbe voltigeant, cent millions de fois plus petit qu'un moustique ! Même si un docteur te le fait voir, et qu'il te dit : « Il est là », eh bien, tu as beau regarder, tu ne le vois pas. Et c'est un monstre qui a des crochets terribles... Et dès qu'il voit un petit enfant, cette saloperie lui saute dessus, et il essaie de lui manger le gosier, et il lui fait des misères à n'en plus finir !

PANISSE, il a pris la poupée.

Il l'a touchée cette poupée ?

FANNY

Non, non.

Panisse jette la poupée dans la rue par la fenêtre.

PANISSE

Alors, vous pensez bien que je ne suis pas parti. J'ai voulu vous avertir que cette femme ne remette plus les pieds ici ! Et que ta mère ne lui parle plus, même dans la rue ! Je prendrai le train demain soir. Comment est-il, le petit ?

FANNY

Il était un peu chaud, ce soir.

PANISSE

Moun Diou ! Moun Diou !

CÉSAR, indigné

L'infamie de cette Miette, avec sa coqueluche secrète ! Té, je vais lui dire deux mots demain !

PANISSE

Enfin, espérons que la contagion n'a pas encore eu lieu.

CÉSAR

Et puis, le petit est sain, il est résistant.

PANISSE

Excuse-nous, Marius, de parler devant toi de tous ces détails domestiques. Mais pour nous, c'est très important ! La chose est grave, comme tu vois. Ou du moins, elle pourrait le devenir.

FANNY

Mais non, Honoré... N'aie pas peur...

PANISSE

Oui, n'aie pas peur... Seulement, tu m'as dit toi-même qu'il était un peu chaud... Té, va lui prendre la température.

CÉSAR

Oui, c'est ça. Prends-lui la température. Vas-y, vaï.

Fanny sort.

SCÈNE VIII

LES MÊMES, moins FANNY

Un petit temps gêné.

PANISSE

Alors, elle sera longue, cette permission ?

MARIUS

Ça dépend, n'est-ce pas, ça dépend ?

PANISSE

Ça dépend de ton capitaine ?

CÉSAR

C'est-à-dire que son bateau est resté là-bas, au feu de Dieu.

MARIUS

Et si je veux, je pourrais rester à Marseille, sur les lignes de Corse.

PANISSE

Oui, rester à Marseille. Et alors, qu'est-ce qui te plaît le plus ?

MARIUS

Ça dépend de certaines choses. Ça dépend de Fanny et de vous.

CÉSAR

Bon. Ça au moins, c'est franc, c'est net.

PANISSE

Je ne comprends pas très bien.

MARIUS

Eh bien ! moi, autrefois comme aujourd'hui, et même quand j'étais loin d'elle, j'ai toujours considéré Fanny comme ma fiancée.

PANISSE

Considéré, c'est un joli mot. Mais moi, je ne considère rien du tout. Je sais qu'elle est ma femme, tout simplement. Elle est ma femme et la mère de mon fils.

MARIUS

Est-ce que vous êtes bien sûr que cet enfant est votre fils ?

Panisse devient très pâle. Il ne répond pas, il appuie son front dans ses mains, puis, avec effort :

PANISSE

Ce retour, Marius, il y a deux ans que je l'attends. Je peux dire que depuis deux années, pas un soir, je ne me suis couché sans penser : « Et si c'est demain qu'il revient ? Et s'il essaie de tout me prendre, qu'est-ce que je vais lui répondre ? » Et depuis ces deux années, je t'ai préparé toutes mes réponses... Et maintenant que je te vois ici, je ne sais plus quoi dire, je suis tout surpris...

Entre Fanny.

SCÈNE IX

LES MÊMES, FANNY

FANNY

Il n'a pas l'air malade, Honoré. Il est un peu rouge, voilà tout.

PANISSE

Et la température ?

FANNY

Maman s'en occupe.

PANISSE

Bon. Assieds-toi, Fanny. (A Marius.) Alors, toi, en somme, qu'est-ce que tu réclames ?

MARIUS

Ecoutez, maître Panisse. J'ai fait une folie, il y a deux ans. Mais j'ai des excuses. D'abord, Fanny m'avait menti. Ensuite, personne ne savait que cet enfant allait naître. Mais maintenant, parce que j'ai été bête pendant une heure, il faut que la vie de plusieurs personnes soit gâchée ?

PANISSE

Quelles personnes ?

MARIUS

Fanny, moi, mon père et mon fils.

PANISSE

Et moi, qu'est-ce que je deviens, là-dedans ?

MARIUS

Vous, vous avez été heureux pendant deux ans, et vous avez été heureux en faisant une bonne action. Ce que vous avez fait, je vous en remercie. Mais maintenant, il faut prendre votre courage et me rendre ce qui m'appartient.

CÉSAR

Oh ! Tu vas vite, Marius !

PANISSE

Oui, il a beaucoup de courage pour les sacrifices qu'il demande aux autres. Mais, voilà ma réponse. Lorsque je vous vois tous les deux, lorsque tu viens me dire que tu veux rester à Marseille, je sens bien que je suis un gêneur...

FANNY

Honoré !

PANISSE

Oui, je suis un gêneur. Et il y a une chose que je devrais bien faire pour me rendre sympathique : ce serait d'aller me noyer par accident. Je le ferais bien volontiers, Fanny, pour te rendre heureuse. Seulement, si je meurs, je ne verrai plus le petit. Alors, moi, té, je refuse de me noyer. Je le refuse absolument.

CÉSAR

Mais personne ne te le demande.

PANISSE, avec douceur.

Non, personne ne me le demande, mais moi je viens de me le demander. (Un temps.) Eh bien, je refuse. D'autant plus qu'il y a peut-être une autre solution. Une solution que j'avais presque acceptée au moment où j'ai épousé Fanny.

CÉSAR

Quelle solution, Honoré ?

PANISSE, à Marius.

Lorsque tu réclames « ta femme et ton fils », tu ne réclames pas ton fils, tu ne sais pas ce que c'est qu'un enfant. Et tu ne réclames même pas ta femme. Ce que tu veux, c'est ta maîtresse. C'est la petite fille que tu embrassais sur les quais en jouant aux cachettes. N'est-ce pas, c'est bien ça que tu veux ?

MARIUS

Je veux Fanny, parce qu'elle est à moi, parce que je j'aime toujours, parce que...

PANISSE, le coupant.

...Oui, je sais, mais de l'aimer, ce n'est pas difficile. Ce qui est important, ce sont ses sentiments à elle. (Il se tourne vers Fanny.) Fanny, n'aie aucune pitié pour moi. Si tu aimes toujours ce garçon, si tu crois que ton bonheur est là, tant pis pour moi. Tu sais que tu es libre, tu sais que jamais je ne m'opposerai à un de tes désirs. Si tu veux que nous nous séparions, ce ne sera pas difficile : je prendrais tous les torts sur moi.

CÉSAR

C'est beau ce qu'il dit. Ce n'est pas égoïste. Mais l'enfant ?

PANISSE, stupéfait.

L'enfant ?

MARIUS

Eh bien, l'enfant, il est à nous !

PANISSE

Que je donne l'enfant ? Pourquoi tu me demandes pas aussi mes yeux, ma rate, mon foie, mon cœur ?

MARIUS

Ah ! vous êtes malin, Panisse. Vous faites le grand généreux et vous dites : « Je donne la femme, mais je garde l'enfant. » Parce que peut-être, sans l'enfant, la femme ne partira pas... Eh bien, si vous êtes honnête, vous me rendrez mon fils, parce qu'il est mien.

PANISSE

Non, Marius, non, Marius ! Le petit, tu ne l'auras pas. Peut-être que tu seras plus fort que moi pour parler à sa mère. Si tu restes ici, peut-être qu'elle-même, un jour, viendra pour me le demander... Non, Marius, ne fais pas ça, ne cherche pas à me le prendre. Tu es jeune, si tu veux des petits, tu en auras d'autres. Mais le mien, laisse-le-moi. C'est mon seul, c'est mon unique, c'est mon premier et mon dernier.

FANNY

Honoré, qui peut te le prendre ? Tu me connais si peu ?

PANISSE, dans un cri de désespoir.

Et encore, si c'était un enfant ordinaire, comme ceux que l'on voit dans les jardins publics ! Mais justement, celui-là, c'est la merveille du monde !

CÉSAR

Ça c'est vrai, Marius. Quand tu étais petit, tu étais beau. Mais celui-là il est peut-être encore plus beau que toi !

PANISSE

Comment ? Peut-être ? Mais tu peux chercher dans toute la ville de Marseille, tu en trouveras des plus gras et des plus gros, mais des plus beaux, il n'y en a pas ! Non, il n'y en a pas ! (Un temps. Tout à coup, Panisse prête l'oreille et dit brusquement :) Il a toussé !

FANNY

Il a toussé ?

CÉSAR

J'ai pas entendu.

PANISSE

Oui, personne ne l'entend, mais moi, je l'entends !
Il sort.

SCÈNE X

LES MÊMES, moins PANISSE

MARIUS

Té, le voilà parti ?

CÉSAR

Dis donc, si l'enfant a toussé, c'est tout de même plus intéressant que nos histoires !

MARIUS

Mais puisqu'il est mien, cet enfant, ce serait à moi de me faire du mauvais sang !

Un temps. César le regarde fixement.

CÉSAR

Et justement, tu ne t'en fais pas !

FANNY

Non, Marius, il n'est pas tien. Tu étais son père avant qu'il naisse. Mais, depuis qu'il est né...

MARIUS

Quand on est le père de quelqu'un, c'est pour toujours !

CÉSAR

Quand il est né, il pesait quatre kilos... quatre kilos de la chair de sa mère. Mais aujourd'hui, il pèse neuf kilos, et tu sais ce que c'est, ces cinq kilos de plus ? Ces cinq kilos de plus, c'est cinq kilos d'amour. Et pourtant, c'est léger l'amour ! C'est une chose qui vous environne, qui vous enveloppe, mais c'est mince et bleu comme une fumée de cigarette. Et il en faut pour faire cinq kilos... Moi, j'en ai donné ma part ; elle aussi. Mais celui qui a donné le plus (il montre la porte par où Panisse est parti), c'est lui. Et toi, qu'est-ce que tu as donné ?

MARIUS

La vie.

CÉSAR

Oui, la vie. Les chiens aussi donnent la vie... Les taureaux aussi donnent la vie à leurs petits. Et d'ailleurs cet enfant, tu ne le voulais pas. Ce que tu voulais, c'était ton plaisir. La vie, ne dis pas que tu la lui as donnée. Il te l'a prise : ce n'est pas pareil.

MARIUS

Comment ! toi aussi ! Mais, nom de Dieu, qui c'est le père ? Celui qui a donné la vie ou celui qui a payé les biberons ?

CÉSAR

Le père, c'est celui qui aime.

FANNY

Tu étais le père d'un petit bâtard dont la naissance était un désastre pour une famille. Le père d'un enfant sans nom, porté par une pauvre fille dans la honte et le désespoir... un pauvre enfant de dispensaire ou d'hôpital. Où est-il, cet enfant ? Il n'existe plus, ce n'est pas le mien.

Le mien il est né dans un grand lit de toile fine, entre la grand-mère et les tantes. Et il y avait deux grandes armoires pleines de langes et de robes, et de lainages tricotés par les cousines de Martigues, et les grand-tantes de Vaison et la marraine de Mazargues. Et mon beau-frère de Cassis, il était venu tout exprès pour entendre le premier cri. Et de Marseille jusqu'en Arles, partout où vivent les parents de mon mari, il y avait une grande joie dans trente maisons, parce que dans le lit de maître Panisse, un tout petit enfant venait de naître, tout juste à la pointe du jour, le matin des Cloches de Pâques. Va, Marius, tu as les dents pointues, mais n'essaie pas de mordre des pierres. Cet enfant, tu ne l'auras pas. Il est planté en haut d'une famille comme une croix sur un clocher.

MARIUS

Alors, toi aussi, tu me trahis ?

FANNY

Trahir ton amour... Non, Marius, je ne l'ai pas trahi. Puisque ton père est là, puisqu'il me protège contre notre folie, je peux tout te dire : Marius, je t'aime toujours, je t'aime comme avant, peut-être plus encore, et chaque matin, je vois ta figure dans le sourire de mon fils. Quand tu as paru tout à l'heure devant cette fenêtre, j'ai cru que je tombais vers toi... Je ne pouvais plus respirer... mes jambes ne me portaient plus. Si tu m'avais prise par la main, sans dire un seul mot, je t'aurais suivi n'importe où, mais après, Marius ? Et mon fils ?

MARIUS, brutal.

Il est nôtre, tu n'as qu'à le prendre.

FANNY

Je n'ai pas le droit. Ni devant la loi, ni devant le Bon Dieu. Lorsque j'étais perdue, Panisse m'a sauvée, il m'a donné son nom, il m'a rendu le respect que j'avais perdu. Et pendant la nuit où l'enfant est né, je tenais sa main et j'enfonçais mes ongles. Le docteur lui dit : « Elle va vous faire mal... » alors j'ai lâché cette main, mais il me l'a vite rendue et il m'a dit : « Griffe-moi, mords-moi si tu veux, plus tu me feras du mal et plus ce petit sera mien. » Et alors, toute la nuit, sans le vouloir, je lui ai enfoncé mes ongles... Il en porte encore les marques... ces marques, c'est lui qui les a, ce n'est pas toi ! Marius, va-t'en sur la mer, c'est là que tu as voulu aller, laisse-moi ici avec notre enfant. (Marius regarde son père, stupéfait.)

Et si ça peut te consoler, pense que chaque soir, il y a
une femme qui pense à toi, une femme qui voudrait
s'étendre contre toi, sentir l'odeur de tes cheveux et
s'endormir dans ta chaleur.

MARIUS

Fanny...

FANNY

Une femme qui voudrait s'éveiller le matin avec ton
bras autour du cou, te recoiffer quand tu t'éveilles et
mettre sa main sur tes lèvres encore toutes molles de
sommeil.

> Marius veut s'élancer vers elle. Son père le retient. Entre Panisse,
> il est très pâle, il paraît épouvanté.

SCÈNE XI

LES MÊMES, PANISSE

PANISSE

Trente-neuf cinq.

FANNY

Honoré ! Va chercher le docteur ! Tout de suite, va le chercher ! (Elle se précipite dans la chambre.) Mon petit ! Mon petit...

Panisse s'élance dans la rue.

SCÈNE XII

MARIUS, CÉSAR

MARIUS

Qu'est-ce que ça veut dire, 39-5 ?

CÉSAR

Ça veut dire que le petit a la coqueluche.

MARIUS

Oh ! la coqueluche, après tout, ce n'est qu'une espèce
de rhume !

CÉSAR

Oui, une espèce de rhume ou une espèce de mort...
39-5, mais c'est presque 40 ! Oh ! Bonne mère, vous
n'allez pas faire un mort aussi petit que ça ! ! Té, je
m'en fous de voir Honorine en chemise, après tout, je
suis le grand-père et j'ai le droit de me rendre compte.

Il disparaît dans la chambre. Marius reste seul. Il paraît stupéfait.
Il se promène dans la salle à manger. Puis sur la table, il
prend le petit bonnet. Il le regarde, il l'examine, il en coiffe
son poing, le flaire, le remet sur la table. Puis il s'appuie au
mur, et murmure : « Ça, alors ! ça c'est trop fort ! » Soudain,
entrent Panisse et le docteur. Panisse est en avance, et de la
porte, il crie :

SCÈNE XIII

LES MÊMES, PANISSE, LE DOCTEUR

PANISSE

Mais dépêchez-vous, nom de Dieu ! Une minute de perdue, c'est peut-être une catastrophe !

> Entre le docteur. Il met son col. Il est en redingote, mais en pantoufles.

LE DOCTEUR

Attendez tout de même que je mette mon col, pour paraître devant ces dames !

PANISSE, violent.

Mais, monsieur, on s'en fout de votre col ! Il y a là un enfant qui est peut-être à l'agonie.

LE DOCTEUR, il met son col devant la glace.

Tiens, Marius !

PANISSE

Mais oui, mais on s'en fout de Marius ! Est-ce que vous voulez vous occuper du petit, oui ou non ?

> A ce moment, César apparaît sur la porte, le thermomètre à la main, suivi de Fanny.

SCÈNE XIV

LES MÊMES, CÉSAR, FANNY

CÉSAR

37-2 !

PANISSE

Quoi, 37-2 ?

CÉSAR

Ta belle-mère ne sait pas lire un thermomètre. C'est vrai qu'elle n'avait pas ses lunettes. L'enfant a 37-2. Il est superbe ! Il a autant de coqueluche que moi.

LE DOCTEUR, après un temps.

Eh bien, alors, merde !

PANISSE

Qu'est-ce qu'il y a ?

LE DOCTEUR, grave.

Je dis : merde ! On ne dérange pas un homme qui dort, pour rien du tout, surtout que c'est la dixième fois.

Cet enfant est fort comme un Turc et il est toujours sur le point de mourir à trois heures du matin ! Et on me force à m'habiller à l'aube, comme un condamné à mort. Total : c'est pour rien ! Alors, quoique je ne sois pas grossier, puisque je suis docteur et membre de l'Académie de Marseille, je dis merde ! Et je n'ajoute pas un mot de plus.

PANISSE, à César.

Mais regarde-le, celui-là, il est fâché parce que le petit n'agonise pas pour de bon.

FANNY

Sois tranquille, Honoré, il n'a rien !

CÉSAR, au docteur.

Oui, eh bien, puisque vous êtes là, vous allez le voir quand même.

Panisse fait entrer le docteur dans la chambre, puis avant d'entrer avec le docteur, il dit :

PANISSE

Un docteur, même quand c'est un idiot, et même quand il est grossier, c'est toujours une garantie !

Il sort.

SCÈNE XV

FANNY, MARIUS, CÉSAR

Fanny est allée s'asseoir à la table. Un temps assez long.

MARIUS

Moi, je tombe au milieu de tout ça et malgré que j'aie tous les droits et que j'aie raison, je me fais l'effet d'un imbécile.

CÉSAR

C'est peut-être que tu en es un.

MARIUS, violent.

Je vais te faire voir si j'en suis un. Tous ces discours, c'est très joli, mais je sais très bien une chose : je n'ai qu'à rester ici, à Marseille; dans quinze jours, j'aurai Fanny; et dans six mois, Panisse me rendra tout ce qu'il nous a pris. Alors je reste. (Un grand temps. César se tait.) Toi, qu'est-ce que tu voudrais que je fasse ?

CÉSAR

Je voudrais que tu ne manques pas ton train.

MARIUS

Comment, toi aussi, tu me fous à la porte ?

CÉSAR

Non, mon petit, ce n'est pas moi.

MARIUS

Oh ! je sais, il n'y a pas que toi. Il y a Fanny aussi. Elle attend que je m'en aille.

CÉSAR

Ne sois pas méchant avec elle. Elle t'aime, elle te l'a dit. Mais son cœur s'en va d'un côté et son ventre s'en va de l'autre. Ce qui t'aime, ce n'est pas son cœur. C'est la plus à plaindre de tous. Non, Marius, ce qui te fait partir, ce n'est pas moi, ce n'est pas elle, ce n'est pas Panisse : mais tu es un danger pour l'avenir de ton enfant. Alors, c'est lui qui te renvoie.

MARIUS

Et toi, tu ne me défends pas ? Papa, tu ne m'aimes plus !

CÉSAR

Mais oui, je t'aime encore, grand imbécile ! Seulement, toi, tu es grand et tu as la barbe qui pique. Tandis que lui, il est petit... il est si petit ! D'ailleurs, c'est pour ça qu'il est fort. Ces petits-là, ça vous prend tout. Mais quand on est brave, Marius, on n'attend pas qu'ils vous le prennent : on le leur donne.

Un grand temps.

MARIUS, brusquement.

Té, tu as raison. Je monte à la gare.

CÉSAR

Dis bonsoir à Mme Panisse.

MARIUS

Bonsoir, Fanny.

FANNY

Bonsoir, Marius.

MARIUS

Fanny, je n'aimerai jamais que toi.

FANNY

Marius, je n'ai jamais aimé que toi.

MARIUS

Papa, tu m'accompagnes ?

CÉSAR

Mais tu penses bien ! Allons, viens, mon fils.

César lui met un bras autour du cou, et il l'emmène.

RIDEAU

BRODARD ET TAUPIN — IMPRIMEUR - RELIEUR
Paris-Coulommiers. — France.
05.333-VI-5-2568 - Dép. lég. n° 1369, 2ᵉ trim. 60 - LE LIVRE DE POCHE

LE LIVRE DE POCHE
HISTORIQUE

Avec cette série, le dessein du LIVRE DE POCHE a été de publier les études historiques non seulement les plus valables, mais dont la lecture soit aussi attachante que celle d'un roman. Aussi a-t-il rassemblé des historiens et des mémorialistes, qui soient en même temps des écrivains de grande classe.

LE LIVRE DE POCHE HISTORIQUE mettra ainsi à la portée du lecteur un ensemble unique de documents aussi agréables qu'utiles à consulter, d'où se dégagera peu à peu la vaste succession des événements qui retracent l'histoire des pays et des hommes depuis les origines jusqu'à nos jours.

VOLUMES PARUS

GÉNÉRAL DE GAULLE
MÉMOIRES DE GUERRE
Tome I : L'Appel (1940-1942).
Tome II : L'Unité (1942-1944).

JACQUES BAINVILLE
NAPOLÉON
HISTOIRE DE FRANCE

RÉGINE PERNOUD
VIE ET MORT DE JEANNE D'ARC

DANIEL-ROPS
JÉSUS EN SON TEMPS
HISTOIRE SAINTE

PIERRE GAXOTTE
LE SIÈCLE DE LOUIS XV
LA RÉVOLUTION
FRANÇAISE

ANDRÉ MAUROIS
HISTOIRE D'ANGLETERRE

STEFAN ZWEIG
MARIE STUART
MARIE ANTOINETTE
FOUCHÉ

O. DE WERTHEIMER
CLÉOPATRE

RENÉ GROUSSET
L'ÉPOPÉE DES CROISADES

MARIA BELLONCI
LUCRÈCE BORGIA

LOUIS BERTRAND
LOUIS XIV

PHILIPPE ERLANGER
DIANE DE POITIERS

VOLUMES A PARAITRE EN 1960

DANIEL-ROPS
L'Église des Apôtres
et des Martyrs

GÉNÉRAL DE GAULLE
Mémoires de Guerre
Tome III : Le Salut (1944-1946)

Tous ces ouvrages sont des volumes doubles.

LE LIVRE DE POCHE
CLASSIQUE

Cette nouvelle série n'est pas conçue dans un esprit scolaire. Elle entend présenter les grandes œuvres consacrées par le temps dans tous les pays et remettre en lumière certains écrivains qui, faute d'une diffusion suffisante, n'ont pas conquis la notoriété qu'ils méritaient.

Selon la règle du LIVRE DE POCHE, tous les textes seront publiés intégralement dans l'édition la plus correcte et, s'il s'agit d'auteurs étrangers, dans la traduction la plus fidèle.

Pour chaque volume, un des plus grands écrivains français de ce temps a accepté de rédiger une préface, qui situera l'œuvre et l'auteur.

Tous les esprits soucieux de culture trouveront dans cette série ample matière à réminiscences ou à découvertes.

VOLUMES PARUS

LE LIVRE DE POCHE
POLICIER

La série des " CHEFS-D'ŒUVRE DU ROMAN POLICIER " n'est pas une nouvelle collection policière.
En la matière, d'innombrables textes ont été publiés en France et à l'Étranger. *Le Livre de Poche* se propose de choisir les œuvres les plus accomplies, et d'en procurer au besoin des traductions revisées. Grâce à cette sélection et aux soins dont seront entourés les textes, le lecteur trouvera dans *Le Livre de Poche* le conseiller fidèle qui l'a déjà guidé avec succès dans d'autres domaines.

PREMIERS TITRES PARUS ET A PARAITRE

LE LIVRE DE POCHE
EXPLORATION

Dans cette série, LE LIVRE DE POCHE publie les récits d'exploration, d'aventures et de voyages les plus originaux et les plus passionnants.

Les auteurs, spécialistes des modes de prospection les plus variés, nous entraîneront dans des voyages et des découvertes surprenantes : fonds sous-marins ou grottes préhistoriques, sommets enneigés ou volcans, déserts de glace ou de sable, autant de pérégrinations qui contribueront à une connaissance plus exacte de notre monde et de ses habitants.

Cette série dynamique et actuelle captivera les lecteurs de tous les âges et élargira leurs horizons.

VOLUMES PARUS

THOR HEYERDAHL
319-320 L'Expédition du « Kon-Tiki ».

ALAIN GHEERBRANT
339-340 L'Expédition Orenoque-Amazone.

ALAIN BOMBARD
368 Naufragé volontaire.

J.-Y. COUSTEAU.-F. DUMAS
404-405 Le Monde du Silence.

JOHN HUNT
447-448 Victoire sur l'Everest.

HENRY DE MONFREID
474-475 Les Secrets de la Mer Rouge.

GEORGES BLOND
545-546 La Grande Aventure des Baleines.

A PARAITRE

T'SERSTEVENS
Le Livre de Marco Polo

DB 6-29-07